J'explore le Québec

Mon premier **guide** de voyage

2e édition

Textes de Christine Ouin,
Louise Pratte et Julie Brodeur

Illustrations de Pascal Biet

BOOK SOLD
NO LONGER R.H.P.L.
PROPERTY

RICHMOND HILL
PUBLIC LIBRARY

JAN 1 7 2014

CENTRAL LIBRARY
905-884-9288

ULYSSE

Ce guide appartient à...

RICHMOND HILL
PUBLIC LIBRARY

JAN 1 7 2014

CENTRAL LIBRARY
905-884-9288

de toi ici

Prénom :

Nom :

Âge :

Téléphone :

Courriel :

Adresse :

Auteures
Christine Ouin, Louise Pratte

Recherche et rédaction
pour la deuxième édition
Julie Brodeur

Conception graphique et illustrations
Pascal Biet

Direction éditoriale
Claude Morneau

Cartographie
Philippe Thomas

Correction
Pierre Daveluy

Remerciements :

Julie Brodeur souhaite remercier Marc Berger pour sa participation.

Guides de voyage Ulysse reconnaît l'aide financière du gouvernement du Canada par l'entremise du Fonds du livre du Canada (FLC) pour ses activités d'édition.

Guides de voyage Ulysse tient également à remercier le gouvernement du Québec – Programme de crédit d'impôt pour l'édition de livres – Gestion SODEC.

Guides de voyage Ulysse est membre de l'Association nationale des éditeurs de livres.

Catalogage avant publication de Bibliothèque et Archives nationales du Québec et Bibliothèque et Archives Canada

Vedette principale au titre :

J'explore le Québec : mon premier guide de voyage

2e éd.

Publ. antérieurement sous le titre : Mon premier guide de voyage au Québec. 2009.

Comprend un index.

ISBN 978 - 2 - 89464 - 576 - 5

1. Québec (Province) - Guides - Ouvrages pour la jeunesse. I. Titre : Mon premier guide de voyage au Québec.

FC2907.M63 2013   j917.1404'5   C2013 - 940063 - X

Toute photocopie, même partielle, ainsi que toute reproduction, par quelque procédé que ce soit, sont formellement interdites sous peine de poursuite judiciaire.
© Guides de voyage Ulysse inc.
Tous droits réservés
Bibliothèque et Archives nationales du Québec
Dépôt légal – Troisième trimestre 2013
ISBN 978-2-89464-576-5 (version imprimée)
ISBN 978-2-76580-058-3 (version numérique PDF)
Imprimé au Canada

MIXTE
Papier issu de
sources responsables
FSC® C103567

Sommaire

Carte de repérage – Le Québec

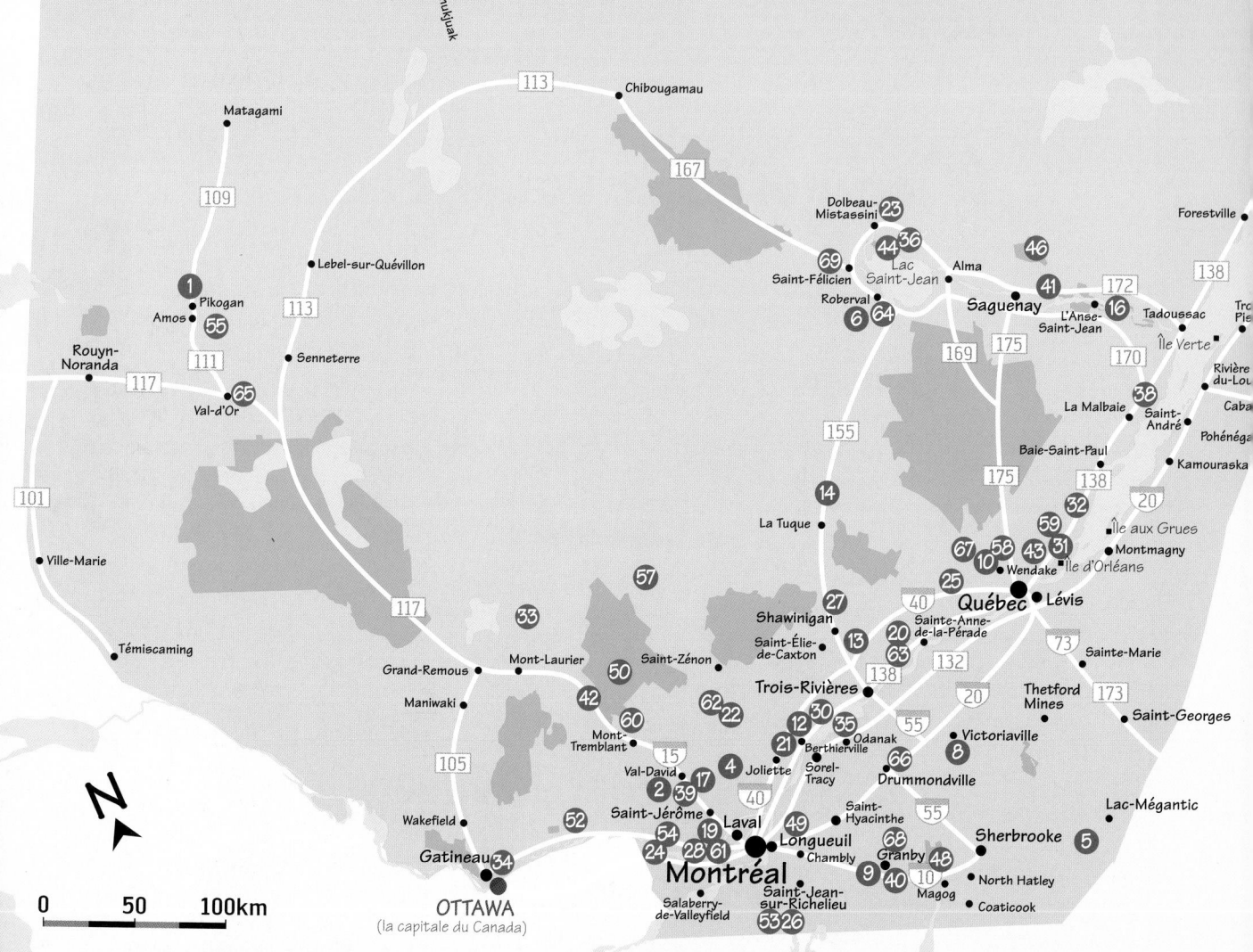

Cartes de repérage – Montréal

LE CENTRE DE MONTRÉAL

PLATEAU MONT-ROYAL

Avenue du Parc

Avenue Laurier

Boulevard Saint-Joseph

Boulevard Saint-Laurent

Rue Saint-Denis

Avenue du Mont-Royal

Rue Rachel

Rue Sherbrooke

Rue Viau

Rue Hochelaga

Avenue Papineau

Avenue De Lorimier

Rue D'Iberville

Boulevard Pie-IX

Rue Sherbrooke

Rue Notre-Dame

CENTRE-VILLE

Boulevard De Maisonneuve

Rue Sainte-Catherine

Boulevard René-Lévesque

Avenue Viger

Rue de la Montagne

Rue University

720

VIEUX-MONTRÉAL

Rue de la Commune

Canal de Lachine

Fleuve Saint-Laurent

Pont Jacques-Cartier

LONGUEUIL

Pont de la Concorde

Rue Wellington

10

0   500m   1km

1. Amphi-Bus
2. Biodôme de Montréal
3. Centre des sciences de Montréal
4. Île Notre-Dame
5. La Ronde
6. Musée des beaux-arts de Montréal
7. Parc du Mont-Royal
8. Parc La Fontaine
9. Parc Laurier
10. Parc Maisonneuve
11. Planétarium Rio Tinto Alcan
12. Plateau Mont-Royal
13. Pointe-à-Callière, musée d'archéologie et d'histoire de Montréal
14. Rapides de Lachine / Saute-Moutons
15. Tour de Montréal
16. Vieux-Port de Montréal
17. Village des neiges du parc Jean-Drapeau

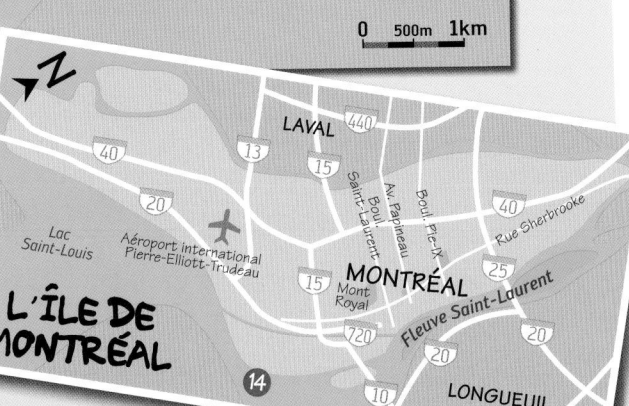

LAVAL

440

Lac Saint-Louis

Aéroport international Pierre-Elliott-Trudeau

20

40

13

15

Boul. Saint-Laurent

Av. Papineau

Boul. Pie-IX

40

Rue Sherbrooke

25

MONTRÉAL

Mont Royal

15

720

Fleuve Saint-Laurent

20

20

10

LONGUEUIL

30

L'ÎLE DE MONTRÉAL

Cartes de repérage – ville de Québec

LES ENVIRONS DE QUÉBEC

LE CENTRE DE QUÉBEC

1. Aquarium du Québec
2. Baie de Beauport
3. Benjo
4. Château Frontenac
5. La Citadelle
6. La place Royale
7. Lieu historique national des Fortifications-de-Québec
8. Musée de la civilisation
9. Petit-Champlain
10. Plaines d'Abraham
11. Saint-Roch
12. Terrasse Dufferin

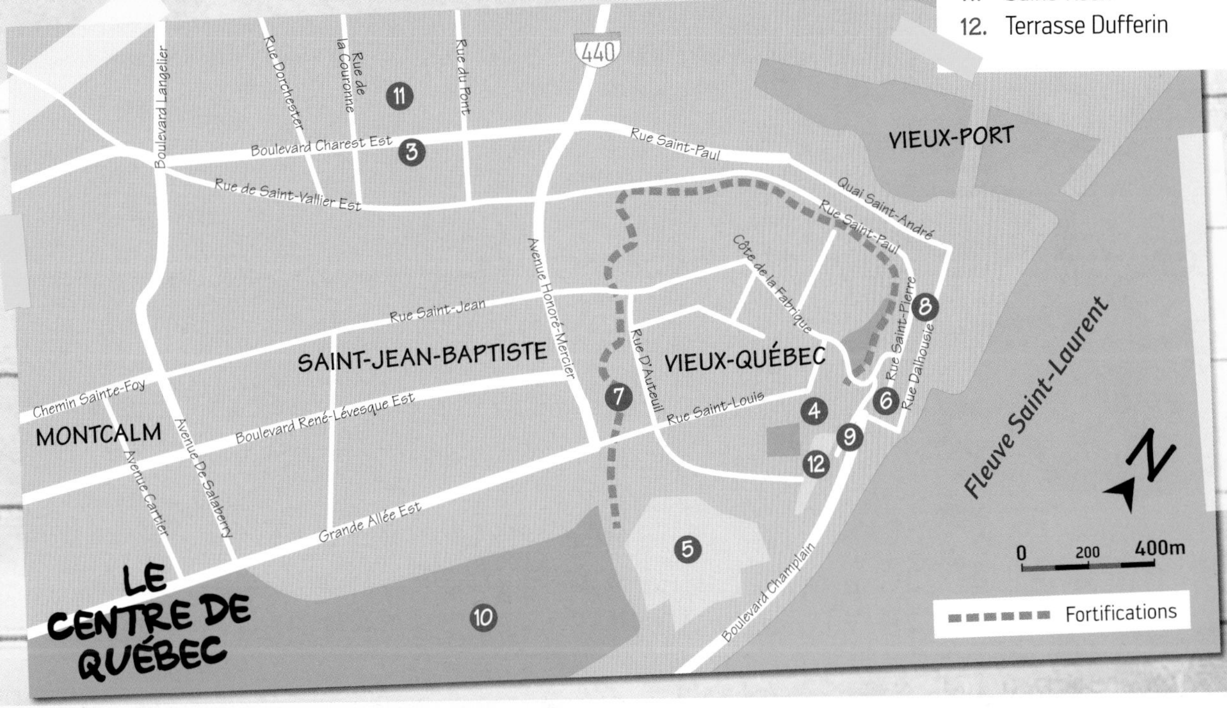

Le Québec c'est...

Admirer le rocher Percé et les 250 000 fous de Bassan qui habitent l'île Bonaventure (voir p. 53 et 55).

Escalader en toute sécurité une paroi rocheuse qui surplombe une rivière tumultueuse (voir Via Batiscan p. 34).

Hurler de bonheur dans les manèges de La Ronde (voir p. 65).

Conduire (avec maman ou papa) son propre attelage de chiens de traîneau (voir p. 26).

Marcher dans les rues animées de Montréal et de Québec lors des festivals (voir p. 67).

Rencontrer des personnages hauts en couleur dans des villages historiques (voir p. 23 et 24).

Dévaler les pentes enneigées sur un tube (voir p. 39).

Pénétrer dans les entrailles d'un vrai de vrai sous-marin (voir p. 42)!

Pagayer confortablement assis dans un kayak de mer, entouré de phoques curieux et joueurs (voir p. 43).

Cueillir des fruits directement au verger (voir p. 22).

Faire un pique-nique dansant au son des tam-tams, un dimanche, au parc du Mont-Royal (voir p. 63).

Admirer les aurores boréales (voir p. 77).

Croquer des bonbons à l'ancienne et découvrir plein d'autres trésors dans un authentique magasin général (voir p. 23).

Arpenter les écosystèmes québécois et croiser les quelques spécimens amicaux qui y circulent parfois en liberté (voir p. 66).

S'attabler dans un casse-croûte pour déguster une poutine (voir p. 23).

Se baigner dans un lac et jouer à attraper des grenouilles (voir p. 29).

Parcourir une mystérieuse forêt de gnomes à la recherche de trésors (voir p. 25).

Partir en bateau à la rencontre de la baleine bleue, le plus gros animal ayant jamais vécu sur Terre (voir p. 44).

Patiner dans les dédales glacés d'un labyrinthe en pleine forêt (voir p. 26).

Participer à un safari-photo et croquer sur le vif les portraits de la faune boréale, ses lynx, ses caribous, ses ours et ses loups (voir p. 20) !

Assister au pow-wow de la nation huronne-wendat et arpenter le village amérindien (voir p. 73).

Dormir dans un tipi, un shaputuan ou une yourte (voir p. 71).

Se délecter, toute l'année durant, d'un repas de cabane à sucre traditionnel (voir p. 19).

Savourer des beignes aux patates encore chauds et trempés dans le sirop d'érable (voir p. 23).

Assister à la performance hilarante des morses pendant leur spectacle à l'Aquarium du Québec (voir p. 21).

Petit portrait du Québec

Situé dans l'est du Canada, le Québec est la plus grande des 10 provinces du pays. Sa superficie est trois fois plus grande que celle de la France !

Le majestueux fleuve Saint-Laurent traverse le Québec sur plus d'un millier de kilomètres avant de se jeter dans l'océan Atlantique. La plaine qui le borde de chaque côté est très fertile, c'est pourquoi la majorité de la population québécoise s'y est installée.

Canada

Québec

La capitale du Québec est la ville de... Québec ! Facile à retenir !

En regardant la carte de la province ci-contre, tu découvriras que la plupart des villes importantes, comme Montréal, Québec et Trois-Rivières, se trouvent à proximité du fleuve dans le sud du Québec. Au nord du fleuve, le territoire est couvert de superbes lacs, de belles montagnes et de grandes forêts qui abritent de nombreux animaux. Plus au nord encore, les vastes étendues sauvages présentent un climat très froid où ne poussent que des arbres miniatures.

Au Québec, il peut faire très chaud en été et très froid en hiver. De plus, dans la même journée, peu importe la saison, le climat peut passer d'un extrême à l'autre.

Le Québec
Superficie : **1 667 441 km^2**
Températures moyennes à Montréal :
janvier **- 10 °C** (record - 37 °C)
juillet **20,6 °C** (record 35,6 °C)
Capitale : **ville de Québec**
Population totale : **8 054 000**
(région de Montréal 3 824 000)

N
O E
S

Kuujjuaq

Toundra

Terre-Neuve-et-Labrador

Kuujjuarapik

Radisson

Fermont

Baie James

Forêt subarctique

Sept-Îles

Natashquan

Terre-Neuve-et-Labrador

Île d'Anticosti

Gaspé

Baie-Comeau

Fleuve Saint-Laurent

Matane

Îles de la Madeleine

Chibougamau

Forêt boréale

Lac Saint-Jean

Saguenay

Rimouski

Rouyn-Noranda

Val-d'Or

La Malbaie

Rivière-du-Loup

Île-du-Prince-Edouard

Océan Atlantique

Trois-Rivières

Québec

CANADA ÉTATS-UNIS

Nouveau-Brunswick

Mont-Tremblant

Forêt mixte

Drummondville

Nouvelle-Écosse

Ontario

Montréal

Sherbrooke

Gatineau

Ottawa

Petite histoire du Québec

Bien avant que les Européens n'arrivent en Amérique du Nord, le territoire était déjà peuplé de tribus amérindiennes et inuites depuis très longtemps. Ces hommes et ces femmes dont les descendants respectent toujours la nature vivaient principalement de la chasse et de la pêche.

1759

Les Britanniques sont en guerre contre la France. Ils attaquent la Nouvelle-France et, le 13 septembre 1759, ils gagnent une bataille décisive à Québec, sur les plaines d'Abraham. Quatre ans plus tard, le Canada deviendra officiellement une colonie anglaise.

1791

Pour mieux régner, les Britanniques divisent le Canada en deux : le Haut-Canada, qui est anglais, et le Bas-Canada, surtout peuplé de Canadiens français.

1840

Pour en finir avec les nombreux conflits qui ont eu lieu ces dernières années entre les Canadiens anglais et les Canadiens français, les Britanniques décident de réunir les deux Canadas en une seule province : le Canada-Uni.

1867

Le 1er juillet 1867, le Canada devient officiellement un État fédéral avec son propre gouvernement. L'ancien Bas-Canada reprend forme sous le nom de « province de Québec ».

1534

Le 24 juillet 1534, après une longue traversée en mer et l'exploration du golfe du Saint-Laurent, le navigateur français Jacques Cartier et de nombreux marins jettent l'ancre devant Gaspé. Ils y plantent une croix qui porte l'inscription « Vive le Roi de France ». Le nouveau territoire se nomme le Canada et fera partie de la Nouvelle-France.

1580

Après la venue de Jacques Cartier, plusieurs aventuriers et marchands français traversent l'océan Atlantique dans le but de faire fortune avec le commerce des fourrures de castor, car les chapeaux de castor sont très à la mode en Europe à l'époque.

1608

Le 3 juillet 1608, Samuel de Champlain fonde la ville de Québec, qui deviendra la capitale de la Nouvelle-France en 1663.

1701

La vie au Canada n'est pas de tout repos. En plus des grands froids de l'hiver, les habitants doivent subir les assauts des Iroquois. Mais le 4 août 1701, la signature du traité de la Grande Paix de Montréal, entre les nations amérindiennes et le gouverneur de la Nouvelle-France, met fin aux affrontements.

1980

Le Parti québécois organise en 1980 le premier référendum sur la souveraineté. Il s'agit de savoir si la population du Québec veut faire de la province un pays à part entière. Une majorité des Québécois ont alors voté contre cette idée. Un deuxième référendum est tenu en 1995 et les résultats sont très serrés : 49,4% des gens ont voté en faveur du projet de souveraineté et 50,6% ont voté contre !

1960

C'est le commencement de la Révolution tranquille. Comme son nom l'indique, cette révolution sera paisible, et elle fera de la société québécoise, jusqu'alors traditionnelle et religieuse, une société moderne. C'est le début du Québec d'aujourd'hui.

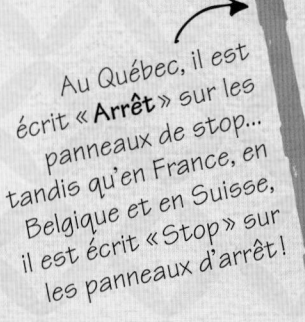

La langue de chez nous !

Le Québec est la seule partie de l'Amérique du Nord habitée par une majorité de francophones. Partout ailleurs au Canada et aux États-Unis, c'est la langue anglaise qui domine. Les Québécois sont très fiers de leur langue. D'ailleurs, le gouvernement québécois a créé des lois afin de la protéger. Elle reste ainsi bien vivante, dans toute sa musicalité et ses expressions qui lui sont propres.

Au Québec, il est écrit « **Arrêt** » sur les panneaux de stop... tandis qu'en France, en Belgique et en Suisse, il est écrit « Stop » sur les panneaux d'arrêt !

Lorsqu'il vente très fort, tu peux dire : **il vente à écorner les bœufs** !

Quand la pluie est intense, tu entendras probablement : **il tombe des clous** ou **il mouille à siaux** !

De toute façon, on va quand même jouer dehors, parce qu'**on n'est pas fait en chocolat** !

Il y a partout des **dépanneurs**, de petites épiceries qui... dépannent !

Aimerais-tu jouer du « ruine-babines » ?

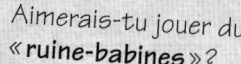

Petit lexique d'expressions comiques

Parmi les expressions uniques et colorées que tu entendras au Québec, certaines proviennent de l'ancien français, d'autres de l'anglais et enfin plusieurs ont été inventées par les habitants au fil du temps. Amuse-toi à noter dans ton journal de voyage (p. 102) les mots différents et les expressions régionales typiques que tu ne connaissais pas.

En voici quelques savoureux exemples :

itou
pareillement

attacher sa tuque avec de la broche
se préparer au pire, braver les obstacles

avoir de la broue dans le toupette
être très occupé, surmené

mettre ses gougounes
mettre ses sandales de plage

avoir du fun
avoir du plaisir

parler à travers son chapeau
parler sans savoir de quoi on parle

ça me chicote
ça m'intrigue, ça me dérange

se tirer une bûche
s'asseoir

smatte
gentil, habile, malin

donner un bec
donner un baiser

tataouiner
perdre son temps, hésiter

vlimeux
espiègle

fait à la mitaine
fait à la main

une traîne sauvage
un toboggan

une joke
une blague

Le drapeau : **le fleurdelisé**

La fête nationale :
le 24 juin, les Québécois
célèbrent la **Saint-Jean**
avec des défilés, des fêtes
de quartier, des spectacles
de musique et surtout...
des feux d'artifice !

La devise : *Je me souviens*.

On se souvient de quoi au juste ?

Tu as lu la devise du Québec
sur les plaques des voitures
et tu te demandes : De quoi
le Québec se souvient-il ?
Tout simplement de l'histoire
de sa fondation et de ses
premiers habitants !

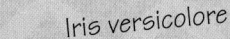

78 **Québec**
883B573
Je me souviens

Plaque du Québec
datant de 1978

Iris versicolore

Harfang
des neiges

Trouve l'intrus parmi ces
emblèmes du Québec
(voir p. 108 pour la réponse)

Bouleau
jaune

Ours
polaire

À la campagne

À la campagne, dès le printemps, l'eau d'érable coule à flots pour sucrer les petits becs gourmands. Les champs verdissent et les animaux sortent de leurs abris d'hiver. En été, les fleurs et les fruits colorent la nature d'or, de blanc, de bleu, de rose... C'est le moment des promenades à pied ou à vélo, et des pique-niques au bord de l'eau. Les lacs invitent à la baignade, à la pêche et au canotage. En automne, quel plaisir de remplir son panier de pommes, de goûter aux canneberges et de choisir une belle citrouille pour l'Halloween ! Et l'hiver, comment résister à l'envie de traverser en raquettes les champs couverts de neige et de patiner sur les lacs gelés ?

Au mois d'août se tient l'**International de montgolfières de Saint-Jean-sur-Richelieu**, le plus important rassemblement de ballons au Canada !

Le temps des sucres

Une légende amérindienne raconte qu'un matin de printemps, le grand chef Woksis décide d'aller à la chasse. La nuit avait été froide, mais la journée s'annonçait douce. Avant de partir, il retire donc son *tomahawk* qu'il avait planté la veille dans un érable. Peu de temps après, un liquide s'échappe de la fente causée par l'arme de Woksis. L'eau coule jusque dans un seau qui se trouve par hasard au pied de l'arbre. Au moment de préparer le repas, la *squaw* de Woksis a besoin d'eau. Elle voit le seau rempli de liquide et l'utilise pour la cuisson des aliments. Sur le chemin du retour, Woksis hume l'arôme sucré de l'érable et il sait que quelque chose de particulièrement savoureux est en train de mijoter. L'eau de l'érable était en effet devenue un sirop qui rendit leur repas exquis.

Fête le printemps
en goûtant le sirop d'érable nouveau !

Chaque année, on transforme l'eau qui coule des érables en sirop dans les cabanes à sucre. Dès le début du mois de mars, elles ouvrent grand leurs portes aux gourmands. Promène-toi au milieu de l'érablière. Regarde l'eau couler dans les seaux. Observe la cuisson du précieux liquide, tu le verras devenir un beau sirop doré. Avec l'eau d'érable, on fabrique aussi du beurre, du sucre et des friandises. **La Sucrerie de la Montagne**, à Rigaud, est une cabane à sucre offrant toute l'année le menu traditionnel, soit la soupe aux pois, les fèves au lard, l'omelette et le jambon au sirop d'érable, les oreilles de crisse et la tarte au sucre. Si les noms de ces plats t'intriguent, va voir le jeu de la page 92... Bonne dégustation !

On fait couler du sirop d'érable directement sur la neige. Celui-ci durcit, et il ne reste plus qu'à l'enrouler autour d'un bâton, pour en faire une sucette. Cela s'appelle de la tire d'érable. C'est ce que je préfère ! Miam !

un ours blanc

un lynx roux

un carcajou

un loup

Nos amis les animaux

Zoo sauvage de Saint-Félicien : Si tu te balades du côté du Lac-Saint-Jean, ne manque surtout pas de faire une visite au Zoo sauvage de Saint-Félicien. Tu peux y regarder de près les animaux en liberté, à bord d'un petit train qui circule parmi les caribous, les orignaux, les loups, les ours, les harfangs des neiges et les aigles. Durant ta visite, tu traverseras aussi un camp de bûcherons, un campement amérindien et un poste de traite des fourrures.

Zoo de Granby : Tu trouveras dans ce zoo merveilleux plus de 150 espèces d'animaux sauvages de tous les continents, en plus d'un parc aquatique épatant ! Prévois y passer toute la journée et n'oublie pas ta serviette et ton maillot de bain !

Parc Safari : Tu aimerais donner une carotte à un zèbre ou regarder une girafe dans le blanc des yeux ? Prends part au Safari Aventure au Parc Safari d'Hemmingford. Bien assis dans la voiture de tes parents (ou dans le tramway du parc), toutes fenêtres ouvertes, tu pourras nourrir une trentaine d'espèces d'animaux de tous les continents.

Si tu préfères la compagnie des wapitis, des cerfs et des bouquetins, tout en observant de près des bisons et des loups, rends-toi plutôt au **Parc Oméga**, à Montebello !

Refuge Pageau : Dans son refuge à Amos, Michel Pageau recueille des animaux blessés. Il les soigne, puis les remet en liberté. Mais comme ils ne peuvent pas tous reprendre le chemin de la forêt, plusieurs demeurent pensionnaires du refuge, au grand bonheur des visiteurs. Monsieur Pageau s'amuse beaucoup avec ces animaux. Tu le verras peut-être même lutter amicalement avec un ours ou se faire lécher le visage par un loup !

Aquarium du Québec : Si tu visites la ville de Québec, profites-en pour passer la matinée ou l'après-midi sur ce site tout simplement génial. L'aquarium renferme un tunnel et un bassin circulaire dans lequel évoluent 650 espèces de l'océan Pacifique subarctique. À l'extérieur se trouvent des aires de jeux et un circuit menant aux bassins des phoques, des otaries et de l'ours polaire. Surtout, ne manque pas le spectacle des morses ! En plus des fous rires garantis, tu auras peut-être droit à un beau baiser mouillé !

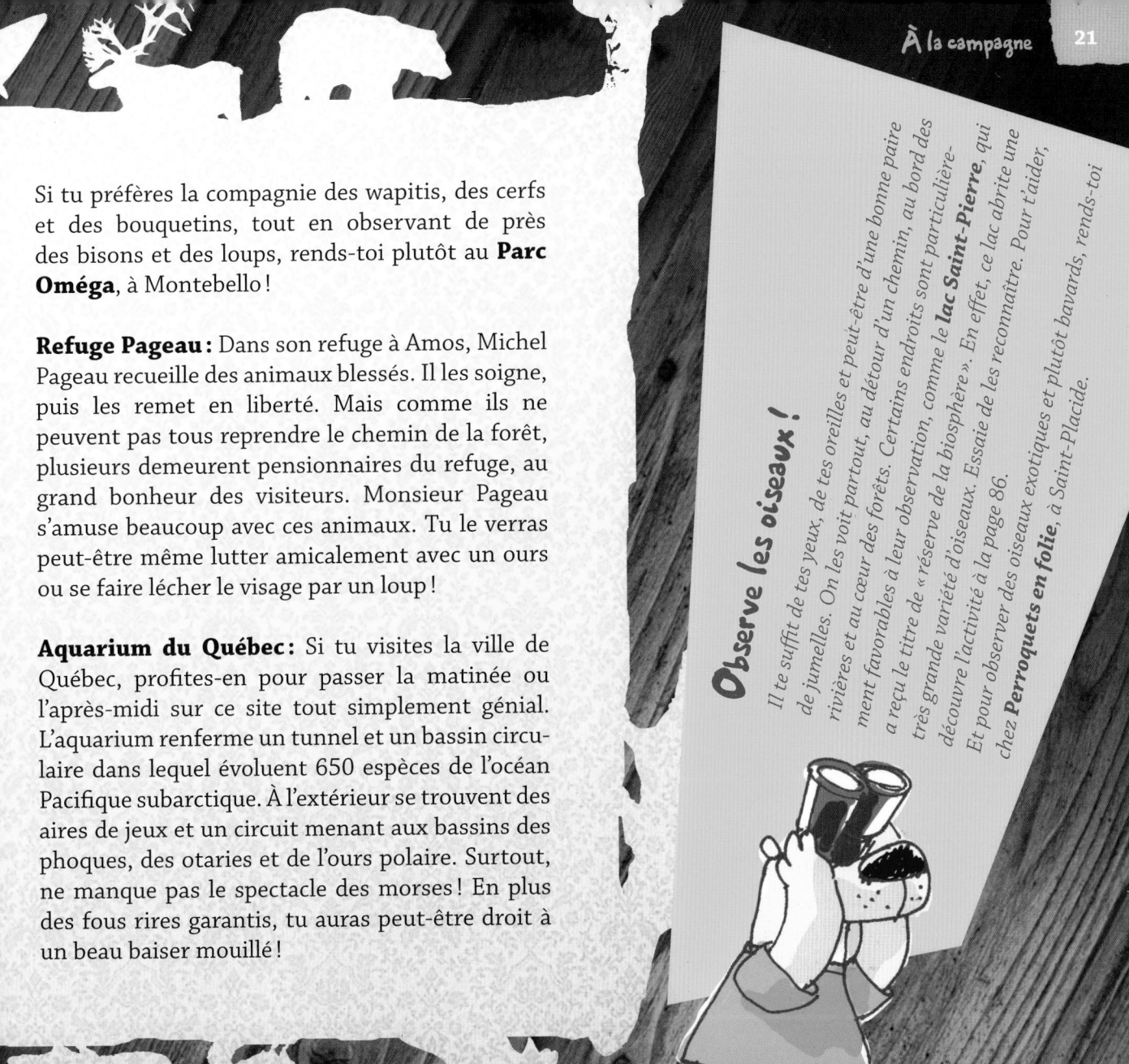

Observe les oiseaux !

Il te suffit de tes yeux, de tes oreilles et peut-être d'une bonne paire de jumelles. On les voit partout, au détour d'un chemin, au bord des rivières et au cœur des forêts. Certains endroits sont particulièrement favorables à leur observation, comme le **lac Saint-Pierre**, qui a reçu le titre de « réserve de la biosphère ». En effet, ce lac abrite une très grande variété d'oiseaux. Essaie de les reconnaître. Pour t'aider, découvre l'activité à la page 86. Et pour observer des oiseaux exotiques et plutôt bavards, rends-toi chez **Perroquets en folie**, à Saint-Placide.

Visite une ferme !

Que de plaisirs à vivre au cours d'une journée à la ferme ! Accompagne le fermier dans son travail de la journée. Nourris avec lui les poules et les lapins, brosse et caresse les chevaux. Fais le tour des champs et des pâturages. Aide le chevrier à prendre soin des chèvres et surveille les étapes de la fermentation des fromages. Éveille-toi au monde fascinant des abeilles… De nombreuses fermes proposent des visites pour mieux connaître leurs activités. C'est ce qu'on appelle l'agrotourisme.

www.terroiretsaveurs.com

une étable
où vivent les animaux

une grange
qui abrite
les récoltes

des silos
qui conservent le grain
et les céréales

Cueille de bons fruits !

On fait pousser toutes sortes de fruits et de légumes à la campagne. De plus, de nombreux agriculteurs proposent l'autocueillette dans leurs vergers. Tu peux donc apporter ton panier, cueillir toi-même tes fruits et légumes, et les emporter avec toi. Fraises, framboises, prunes, pommes, citrouilles, tomates, canneberges, bleuets… lesquels préfères-tu ?

Voici quelques bons endroits pour faire ta cueillette !

Fraises : **Les Fraises Louis Hébert**, à Saint-Valentin
Pommes : **Les Vergers Lafrance**, à Saint-Joseph-du-Lac
(aussi cueillette de pommes hivernale)
Bleuets : **La Magie du Sous-Bois**, à Dolbeau-Mistassini
Citrouilles : **La Courgerie**, à Sainte-Élisabeth

Cueille des pommes !

Cueille des fraises !

Miam !

Dans toutes les régions du Québec, les agriculteurs et les fermiers fabriquent toutes sortes de bons produits. N'hésite pas à goûter aux fromages, saucissons, pâtés, miel, confitures et pâtisseries qu'ils te feront découvrir. Dans ton journal de voyage à la page 106, décris les produits que tu as dégustés et donne-leur une note !

Rends-toi au **Magasin général Le Brun**, à Maskinongé, pour croquer des bonbons à l'ancienne et découvrir plein d'autres trésors.

À Berthierville, commande des beignes aux patates encore chauds et trempés dans le sirop d'érable à la boulangerie **Délices d'Antan**. L'expérience vaut vraiment le détour !

Pour découvrir une panoplie de produits du miel et voir de près comment on l'extrait des ruches, rends-toi chez **Intermiel** à Mirabel ou aux **Miels d'Anicet** à Ferme-Neuve. On y offre une incursion passionnante dans l'univers des abeilles... et d'excellentes dégustations !

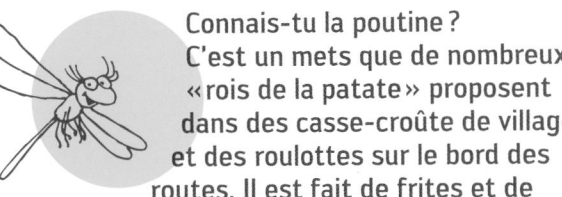

Connais-tu la poutine ? C'est un mets que de nombreux « rois de la patate » proposent dans des casse-croûte de village et des roulottes sur le bord des routes. Il est fait de frites et de fromage cheddar en grains (celui qui fait « couic-couic » quand tu le manges) recouverts d'une sauce brune. Les cantines suivantes sont réputées pour leur excellente poutine : **Chez Ben** à Granby, **Chez Annie** à Victoriaville et la **Cantine Pitch** à Pohénégamook. Mais n'en mange pas trop souvent !

Les villages du passé

← **Village Québécois d'Antan :** As-tu envie d'un voyage dans le temps ? À Drummondville, le Village Québécois d'Antan est une réplique d'un village d'autrefois, avec ces maisons et ces bâtiments inspirés du passé. Tu verras le boulanger pétrir son pain et le forgeron marteler le fer. Tu assisteras au filage de la laine et à la fabrication du savon et des chandelles. Puis tu visiteras la petite école et la ferme, avec des poules, des paons, des brebis, des chevaux...

Village historique de Val-Jalbert : Dans la région du Saguenay–Lac-Saint-Jean, le Village historique semble s'être arrêté dans le temps. C'est tellement amusant de se promener au milieu d'anciens bâtiments ! Dans les rues, des personnages en costumes d'époque racontent des histoires drôles du passé. Ils font revivre le quotidien des ouvriers et les activités du couvent, du bureau de poste, du magasin général et du moulin. Et il y a même un téléphérique qui s'élève au-dessus des trombes d'eau fracassantes de la chute Ouiatchouan !

Les Piles Village Forestier : À Grandes-Piles, on a reconstitué un authentique campement de bûcherons du début du 20e siècle. Tu pourras y visiter une vingtaine de bâtiments traditionnels de bois rond dont l'« office », la « cookerie », la « cache » et le « campe », en plus de te faire raconter des histoires et des anecdotes sur la vie des bûcherons.

Village minier de Bourlamaque : Situé à Val-d'Or, sur le site de la Cité de l'Or, ce village historique te fera découvrir, à travers divers bâtiments, le mode de vie des familles qui travaillaient pour les compagnies minières dans les années 1930. Tu peux aussi descendre dans la mine, à 90 m sous terre !

De jolies maisons

Les villages du Québec abritent souvent de jolies maisons traditionnelles. Elles ont de mignons pignons et des toits en pente pour permettre à la neige de glisser au printemps. L'**île d'Orléans**, à deux pas de la ville de Québec, est l'un des meilleurs endroits pour en admirer. Il y a de superbes maisons anciennes partout, avec des toits de toutes les couleurs : bleu, rouge, vert, brun... Le patrimoine ancestral de l'île est même protégé par le gouvernement, afin qu'elle conserve tout son charme. En été, tu pourras visiter l'une des plus vieilles maisons de l'île, la **maison Drouin**, bâtie vers 1725.

Moi mes souliers...

Félix Leclerc, un des plus grands poètes québécois, a vécu longtemps à l'île d'Orléans et y est enterré. L'une de ses chansons, « Moi mes souliers » a fait le tour du monde ; aussi, pour le saluer, les gens ont pris l'habitude de déposer des souliers sur sa tombe, à Saint-Pierre-de-l'Île-d'Orléans.

Voici quelques jolies petites villes et d'autres villages qui offrent des activités qui te plairont :

Val-David
(Les Jardins du Précambrien, Village du Père Noël)

Chambly
(Lieux historiques nationaux du Fort-Chambly et du Canal-de-Chambly)

L'Anse-Saint-Jean
(randonnée pédestre et à cheval)

North Hatley
(L'Épopée de Capelton - aventure minière)

Kamouraska
(kayak de mer, escalade)

Havre-Aubert,
Îles de la Madeleine (Aquarium des Îles)

Tu verras beaucoup d'églises au Québec, parfois même plusieurs dans de tout petits villages ! Leur architecture varie surtout selon qu'elles ont été érigées au cours du Régime français (1608-1760) ou britannique (1760-1840), et donc au gré des différentes branches de la religion chrétienne. Elles étaient, jusqu'à récemment, le point de rencontre, de diffusion de la culture et de l'information le plus important de la communauté.

Attention, passage de lutins !

Le village de **Saint-Élie-de-Caxton**, en Mauricie, est un véritable conte vivant. Quoi de plus merveilleux et amusant que de se promener dans les rues en carriole tirée par un tracteur ! La carriole s'arrêtera devant des panneaux indiquant des traversées de lutins... Elle fera un détour du côté de l'arbre à « paparmanes » et elle croisera de curieuses traces de pas sur les trottoirs. Décidément, tous les habitants de ce village farfelu semblent avoir la fibre conteuse...

des paparmanes

Sur les traces des gnomes !

Nichée dans la forêt de Saint-Raymond, **La Vallée Secrète** t'invite à une chasse aux trésors au royaume des Tinin-Nain. Coiffe-toi du bonnet de gnome et conserve bien les accessoires qui te sont prêtés (des clés, des jumelles, une boussole et une carte des sentiers) pour mener à bien ta mission !

Vive l'hiver !

Pour profiter des joies de l'hiver, rien de mieux que de s'amuser au grand air ! La neige a revêtu le décor d'un blanc manteau, et le froid a dessiné sur ton visage de belles joues colorées ! Voici des idées pour t'amuser et pour te réchauffer ! À vos marques, prêts ? Partez !

→ Patiner sur la rivière L'Assomption à **Joliette** (9 km !) ou sur les sentiers glacés du labyrinthe du **Domaine de la Forêt Perdue** à Notre-Dame-du-Mont-Carmel.

→ Faire une randonnée de ski de fond au **parc national du Mont-Saint-Bruno**.

→ Avec un guide de l'entreprise Alaskan du Nord, filer à bord d'un traîneau bien attelé à une meute de chiens athlétiques, sur les sentiers forestiers de **La Tuque**.

→ Marcher dans de beaux sentiers dégagés et bordés d'arbres couverts de neige au **parc national du Mont-Orford**.

→ Se réchauffer avec un bon chocolat chaud et de savoureux biscuits à la **Guilde du Pain d'Épices**, à Saint-Jean-de-Matha.

> Moi, ce que je préfère, c'est patiner sur les lacs gelés !

Pour apprécier l'hiver, il suffit de bien s'habiller : un pantalon de neige relevé jusqu'au nombril, un manteau bien fermé jusqu'au cou, des gants ou des mitaines enfilés jusqu'au bout, un col remonté jusqu'au nez, une tuque par-dessus les oreilles et des bottes bien chaudes ! Maintenant amuse-toi dans la neige !

> D'accord, j'ai chaud, mais...

> ... je ne vois plus riiiiiien !

Pêche sur la glace !

Savais-tu qu'en hiver les jolis villages de **Sainte-Anne-de-la-Pérade** et de **Saint-Zénon** se doublent d'un second village planté au milieu d'une rivière ? Des centaines de cabanes, chauffées et éclairées à l'électricité, abritent alors des familles venues pêcher le « poulamon », communément appelé « petit poisson des chenaux », sur la glace de la rivière. La saison de la pêche blanche commence à la fin de décembre et se termine vers la mi-février, à toi d'essayer !

Et alors ? Ça mord ?

À la montagne

Les Laurentides et les Appalaches sont des chaînes de montagnes très anciennes. Elles sont âgées de plus de 300 millions d'années. Au milieu de leurs forêts se cachent des milliers de lacs, de rivières et de ruisseaux. En été, on peut y faire des sorties en canot, en pédalo, en kayak, ou encore de la pêche à la ligne. Une promenade dans un des nombreux sentiers est une occasion de croiser une famille de ratons laveurs, de voir un barrage de castors, de rencontrer un lièvre, peut-être d'apercevoir un orignal ou un cerf de Virginie. Sans oublier les grenouilles et les tortues… En hiver, le ski est roi. Les sentiers de montagne se transforment en de merveilleuses pistes de glisse et les plans d'eau, en de formidables patinoires.

Savais-tu qu'à leur formation, il y a un milliard d'années, les montagnes des Laurentides étaient aussi hautes que l'Himalaya ?

Savais-tu que le Québec compte un million de lacs et de rivières ? C'est 3% des réserves d'eau douce mondiales !

Une très longue piste

Le **parc linéaire le P'tit Train du Nord** est un très long chemin de 230 kilomètres aménagé sur l'emprise d'une ancienne voie ferrée. Il traverse la magnifique région des Laurentides. Tout au long du trajet, les belles gares sont aujourd'hui des boutiques ou des cafés. La piste longe de nombreux lacs et rivières et passe par de jolis villages. C'est un endroit merveilleux pour une randonnée à pied, à vélo ou en patins à roues alignées, et pour un pique-nique au bord de l'eau, surtout à la plage municipale du lac Mercier, dans le **village de Mont-Tremblant** !

Halte aux bibittes !

N'oublie pas le répulsif pour éloigner les petites bêtes nuisibles et pour te protéger des piqûres d'insectes !

Attrape des grenouilles !

Un ouaouaron

Les grenouilles et les crapauds sont faciles à rencontrer... et à attraper. On les trouve sur les rives herbeuses des étangs, des lacs ou des marais. Tu peux capturer ces petits animaux pour les observer sans leur faire de mal. D'abord, utilise une épuisette souple. Manipule ensuite ta grenouille avec les mains mouillées. Garde-la peu de temps dans l'eau. Et pour finir, tu la relâches au même endroit. Tu peux aussi attraper de jolies grenouilles des bois, de drôles de grenouilles léopards ou même d'énormes ouaouarons !

le mont Tremblant

Une « montagne qui tremble »

Le **parc national du Mont-Tremblant** est un endroit épatant pour découvrir la nature. Ses rivières ont des cascades fracassantes ! Il y a la chute du Diable, les chutes Croches et la chute aux Rats… Selon une légende amérindienne, le mont Tremblant était habité par des esprits. Quand les habitants ne respectaient pas la forêt et les animaux, ces esprits le faisaient trembler de colère !

Tu aimes la randonnée pédestre ? Avec ses 82 km de sentiers, le parc national du Mont-Tremblant est un excellent choix pour t'adonner à ton activité favorite ! D'ailleurs, les sentiers La Roche et La Corniche comptent parmi les plus beaux du Québec.

Il y a tant de lacs au Québec ! Tu sais, il a fallu beaucoup d'imagination pour tous les baptiser. Aurais-tu pensé à ces noms-là ? Le lac Parles-en-Pas, le lac J'En-Peux-Plus, le lac Pas-de-Poisson, le lac des Crocs-en-jambe, le lac Crétin, et les lacs Do, Ré, Mi, Fa, Sol, La, Si !

Glisse sur l'eau pour te rafraîchir !

Plusieurs parcs aquatiques proposent des toboggans de toutes les formes et divers jeux pour plonger dans l'eau par une chaude journée d'été. Les plus populaires sont le **Super Aqua Club de Pointe-Calumet**, le **Parc aquatique Mont Saint-Sauveur**, le **Village Vacances Valcartier**, dans la région de Québec, et le **parc aquatique Ski Bromont**.

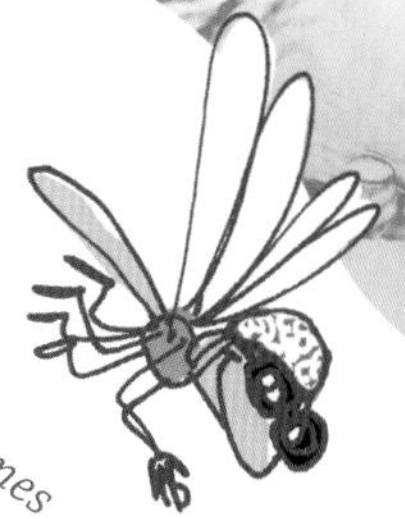

Dans le parc du Mont-Tremblant, on peut même voir des ours !

Ma cabane au Québec

Les murs des cabanes de bois rond sont fabriqués en superposant des rondins selon une ancienne méthode scandinave. Ils sont très solides. Certaines cabanes ont plus de 400 ans ! Tu peux faire l'expérience de dormir dans une chouette cabane de bois rond au **Domaine Le Bostonnais**, près de La Tuque.

À la page suivante, découvre l'activité pour fabriquer une cabane miniature.

Cabane miniature de bois rond

À cause de la rigueur du climat, les colons de la Nouvelle-France devaient se construire un bon abri. Il n'était pas difficile de trouver des matériaux de construction dans la forêt dense. C'est ainsi que les premières cabanes de bois rond ont vu le jour.

Matériel

- Petite boîte de lait ou de crème (375 ml)

- Petits morceaux de bois rond, par exemple des petites branches récoltées dans la forêt ou des bâtons de cannelle

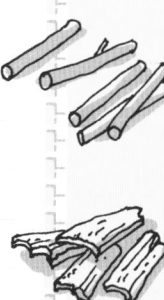

- Couteau dentelé ou ciseaux

- Colle forte

- Écorce de bouleau, morceaux de tissu ou de papier

- Sable ou riz

- Crayon

Fabrication

a. Avec l'aide d'un adulte, coupe les branches ou les bâtons de la largeur de ta maison pour les quatre côtés (**1**). Vérifie que le bois est bien sec, sinon la colle ne tiendra pas. Si ce n'est pas le cas, laisse les branches un après-midi au soleil.

b. Remplis la moitié de la boîte avec du sable (ou du riz), afin qu'elle soit bien stable.

c. Colle les branches ou les bâtons horizontalement sur les côtés de la boîte. Essaie de bien les superposer pour ne pas voir le carton de la boîte **(2)**.

d. Confectionne les pignons et le toit en collant de l'écorce ou du tissu **(3)**.

e. Décore ta cabane en collant des petits morceaux de papier sur lesquels tu auras dessiné une porte et une fenêtre **(4)**. Tu peux aussi coller des petites fleurs séchées ou des cocottes de pin pour faire joli **(5)**.

Les Chic-Chocs

Au Québec, la grande chaîne de montagnes qu'on appelle les Appalaches se termine avec les **monts Chic-Chocs** en Gaspésie. Ces grosses montagnes doivent leur nom à leurs pentes très raides. Il vient d'un mot amérindien qui signifie « barrière infranchissable ». Une promenade dans cet immense décor, couvert de forêts, offre la chance d'apercevoir des lièvres d'Amérique, des ours noirs, des porcs-épics, ou encore des caribous, une espèce protégée.

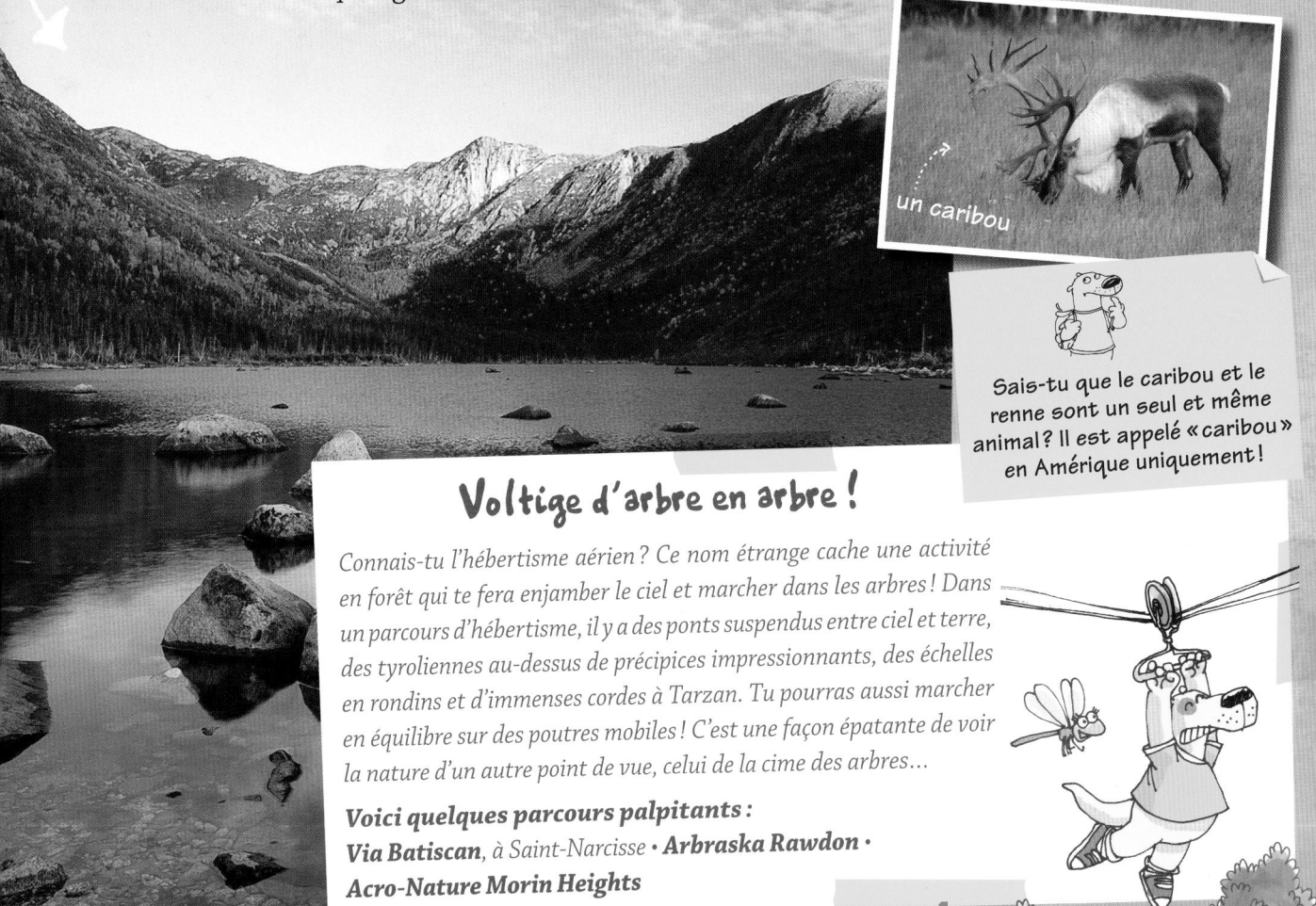

un caribou

Sais-tu que le caribou et le renne sont un seul et même animal ? Il est appelé « caribou » en Amérique uniquement !

Voltige d'arbre en arbre !

Connais-tu l'hébertisme aérien ? Ce nom étrange cache une activité en forêt qui te fera enjamber le ciel et marcher dans les arbres ! Dans un parcours d'hébertisme, il y a des ponts suspendus entre ciel et terre, des tyroliennes au-dessus de précipices impressionnants, des échelles en rondins et d'immenses cordes à Tarzan. Tu pourras aussi marcher en équilibre sur des poutres mobiles ! C'est une façon épatante de voir la nature d'un autre point de vue, celui de la cime des arbres…

Voici quelques parcours palpitants :
Via Batiscan, *à Saint-Narcisse* • **Arbraska Rawdon** •
Acro-Nature Morin Heights

Une forêt de toutes les couleurs

L'automne est la magnifique saison des couleurs. Certaines stations de ski, en attendant l'hiver, proposent aux visiteurs d'atteindre le sommet des montagnes en télésiège pour voir le soleil enflammer le feuillage des arbres. Vois-tu toutes les teintes que peuvent prendre les feuilles ? Cherche une feuille avec le plus de couleurs possible : violet, rouge, orange, jaune et vert ! De par son altitude, la **station touristique Mont Tremblant** est tout indiquée pour cette activité.

L'automne est aussi la saison privilégiée pour observer dans le ciel les formations de bernaches et d'oies sauvages qui s'envolent vers le sud. Si tu te trouves dans leur corridor de migration et près des cours d'eau (entre autres à **Montmagny**), tu pourras en apercevoir des centaines !

L'été des Indiens

Pendant quelques jours en automne, après les premières gelées, on dirait que l'été revient ! Il fait beau, chaud et les mouches se réveillent de nouveau ! On appelle cette période «l'été des Indiens». On pense qu'autrefois les Amérindiens profitaient de cette période de redoux pour achever leurs récoltes et préparer les provisions pour l'hiver.

Savais-tu que l'observatoire le plus performant au Canada se trouve sur le mont Mégantic, dans la région des Cantons-de-l'Est ? Tu peux participer à des soirées d'astronomie, visiter les expositions et assister au spectacle multimédia de l'ASTROLab du parc national du Mont-Mégantic.

Cahier souvenir de la forêt

Ce cahier personnalisé aux couleurs de la forêt pourra devenir un bon compagnon, recevoir tes poèmes, tes dessins, tes petits secrets! De plus, décoré avec de belles fleurs et feuilles séchées, il sera très beau!

Matériel

- Fleurs sauvages, herbes, etc.
- Cahier aux feuilles pas trop minces
- Feuilles multicolores
- Colle ou ruban adhésif
- Crayons de toutes sortes
- Ciseaux
- Thé ou café
- Gros pinceau ou éponge

Fabrication

a. Au cours de tes promenades en forêt, ramasse les feuilles, les fleurs et les herbes que tu trouves jolies. Cependant, il ne faut pas les arracher.

b. Place tes trouvailles entre les feuilles d'un journal pour les faire sécher **(1)**. Mets-les sous presse en utilisant un gros livre, comme un dictionnaire, ou une brique, pendant environ cinq jours dans un endroit sec **(2)**.

c. Choisis un cahier avec des feuilles aux tons naturels (papier recyclé par exemple). Sinon, à l'aide d'un gros pinceau ou d'une éponge, badigeonne les pages avec du thé infusé (ou du café) pour leur donner un aspect « parchemin ».

d. Colle bien proprement dans ton cahier les végétaux que tu as trouvés et inscris leur nom au-dessous. Ajoute des photos commentées, des poèmes ou des dessins. Tu peux aussi écrire ou dessiner sur des feuilles en couleurs que tu colleras ensuite dans ton cahier.

e. Tu peux aussi coller des herbes, des feuilles et des fleurs sur la page couverture, de façon décorative.

Le blanc tapis magique

L'hiver, la neige brille sous le soleil ou la lune. Le paysage devient féerique. En montagne, le silence s'installe, les lièvres prennent un pelage tout blanc pour se camoufler. Les marmottes et les porcs-épics se roulent en boule pour hiberner dans leurs terriers. Et de nombreux oiseaux s'envolent au loin vers le sud jusqu'au retour du printemps. Parfois, beaucoup de neige s'accumule sur les arbres, comme dans le **parc national des Monts-Valin**, dans la région du Saguenay–Lac-Saint-Jean. Tout y est si blanc et magique qu'on surnomme l'endroit la « vallée des Fantômes ».

Vas-y, champion! Tu bats ton record!

Les flocons de neige sont faits de minuscules cristaux de glace. Ces cristaux magnifiques qui ressemblent à de petites étoiles ont toujours six pointes. Tu sais, ils sont tous uniques. On n'en a jamais trouvé deux pareils!

Les joies de la neige

La neige apporte tant de plaisirs ! Tu peux la creuser pour faire des tunnels ou la rouler pour fabriquer des bonhommes de neige. Tu peux aussi organiser d'amusantes batailles de boules de neige ! Aussi, tous les moyens sont bons pour glisser follement sur les pentes. Traîneau, luge, tapis-luge ou chambre à air... choisis ! C'est également le moment de faire du ski et de la planche à neige dans l'une des nombreuses stations de sports d'hiver, par exemple la **station touristique du Mont-Sainte-Anne**, près de la ville de Québec. Au **Massif de Charlevoix**, à Petite-Rivière-Saint-François, tu pourras skier en ayant l'impression de plonger dans le fleuve Saint-Laurent, si large que tu ne verras pas l'autre rive...

Sais-tu dessiner un ange dans la neige ? Couvre-toi chaudement et allonge-toi dans la neige. Remue les bras et les jambes bien à plat. Et maintenant relève-toi délicatement et regarde : vois-tu ses ailes ?

Dévale les pentes sur tube !

Si tu aimes te griser de vitesse en t'amusant follement, la glissade sur tube, c'est pour toi ! Pas besoin de leçon... une bonne poussée, et laisse-toi glisser jusqu'en bas ! Une foule de stations de sports d'hiver disposent d'époustouflants corridors équipés pour glisser en toute sécurité.

Parmi les sites de glisse les plus impressionnants, il y a les **Super Glissades de Saint-Jean-de-Matha** *(Lanaudière), les* **Glissades des Pays d'en Haut** *(Laurentides) et les glissades du* **Village Vacances Valcartier** *(région de Québec).*

Le long du fleuve et du fjord

Le puissant et majestueux fleuve Saint-Laurent traverse le Québec sur plus d'un millier de kilomètres. Toujours en mouvement, il est une source inépuisable de vie et de plaisirs.

Il foisonne de poissons et abrite de nombreux animaux et oiseaux marins. Comme il est très large, cela permet à beaucoup de jolies îles d'émerger de ses eaux bleues. Ses rives et ses flots offrent une foule d'activités passionnantes. Tu peux découvrir le fleuve à pied, à vélo, en kayak, en canot ou en bateau. À Tadoussac, le fleuve s'ouvre sur une gigantesque faille. C'est le fjord du Saguenay, qui mène au lac Saint-Jean, un « lac grand comme une mer » !

Devine !
Lequel de ces mammifères marins ne vit pas dans le fleuve Saint-Laurent ? (réponse à la page 108)

a.

b.

c.

d.

Une île, des oies, un peintre et un fromage

Dans la région de Montmagny, prendre le traversier pour se rendre à **l'île aux Grues** est très amusant. Des côtes de cette île, au printemps et en automne, tu peux voir des milliers d'oies blanches réunies pour une halte bien méritée pendant leurs grands voyages migratoires. Depuis toujours, les oies quittent le sud des États-Unis, où elles passent l'hiver au chaud, pour regagner l'Arctique, où elles font leurs nids. En chemin, elles s'arrêtent pour manger et se reposer. Regarde-les plonger leur long cou dans la vase à la recherche de nourriture ou l'allonger bien droit, comme une sentinelle qui fait le guet !

La fromagerie de Saint-Antoine-de-l'Isle-aux-Grues fabrique de délicieux fromages avec le lait des vaches de l'île. Jean Paul Riopelle, un célèbre peintre québécois, a vécu plusieurs années à l'île aux Grues. En son honneur, un fromage porte son nom, le Riopelle de l'Isle.

un Riopelle de l'Isle

L'oie blanche s'appelle aussi l'oie des neiges.

Près du fleuve, à l'est de Québec, regarde bien sur ta gauche le **parc de la Chute-Montmorency**. À bord d'un téléphérique, tu pourras t'approcher du sommet de la chute, haute de 83 mètres.

Escalade des falaises !

*Accroche-toi aux falaises de **Saint-André** ! Une centaine de voies d'escalade de tous les niveaux promettent le vertige aux grimpeurs ! Quand tu atteins le sommet, quel spectacle ! Le fleuve s'étend à perte de vue et, au large, tu aperçois les flancs dénudés des îles Pèlerins avec leurs milliers de cormorans, leurs colonies de petits pingouins et des bélugas en petites bandes. Sur l'autre rive se détache l'ombre des montagnes de Charlevoix ; et vers l'est, celle, plus lointaine, des montagnes de la Côte-Nord …*

*L'escalade t'intimide, mais tu voudrais tout de même grimper des parois ? Essaie la via ferrata des **Palissades de Charlevoix** ! Tu seras bien arrimé à un câble tout au long du parcours.*

Un très vieux gardien

Sur l'**île Verte**, dans la région du Bas-Saint-Laurent, se trouve le plus vieux phare du fleuve. De son sommet, la vue est magnifique ! Au loin, tu aperçois l'île aux Basques. Cette petite île déserte est bien connue en raison des nombreux récifs qui l'entourent. Ces récifs ont été responsables de plusieurs naufrages. L'île doit son nom aux Européens qui venaient depuis le Pays basque naviguer dans les eaux du fleuve pour la pêche à la morue et la chasse à la baleine, bien avant l'arrivée de Jacques Cartier, le « découvreur » du Canada.

Dans le secteur de Pointe-au-Père, à Rimouski, se trouve l'***Onondaga***, le seul sous-marin accessible au public au Canada. Sa visite est passionnante et tu peux même y passer la nuit… à condition d'avoir au moins 9 ans et d'être accompagné par tes parents !

Le « chemin qui marche »

Les Amérindiens appellent le fleuve *Magtogoek*, qui veut dire « le chemin qui marche ». Jacques Cartier le nomme Saint-Laurent, car il a découvert son embouchure le 10 août 1535, le jour de la fête de saint Laurent.

Explore le fleuve en kayak de mer !

Imagine… Tu pagaies dans un site enchanteur parmi des milliers d'oiseaux aquatiques. Tu regardes des phoques se prélasser au soleil sur les rivages. Tu écoutes un guide te raconter de terribles histoires de naufrages et de fabuleuses légendes d'épaves mystérieuses. Tu te laisses tenter par la dégustation d'algues… De plus, une excursion en kayak de mer sur le fleuve te laissera des souvenirs inoubliables !

Au départ de la plage de **Kamouraska**, l'entreprise SEBKA organise des excursions guidées de 3 à 6 heures. Aventures Archipel propose pour sa part des sorties en kayak de mer dans les eaux bordant le **parc national du Bic**.

La mariculture

La pêche intensive et la pollution ont entraîné la diminution du nombre de poissons, de crustacés et de mollusques dans le fleuve. Alors, de nombreux pêcheurs sont devenus des « mariculteurs » ou des « fermiers de la mer ». Ils cultivent des espèces au beau milieu du fleuve ou dans des bassins remplis de son eau, comme les moules.

Ça fait une semaine que je les arrose, mais elles ne veulent pas pousser !

Rencontre les baleines !

Voir de ses propres yeux ces gigantesques mammifères marins est fascinant. Tu peux les approcher en bateau de croisière, en canot pneumatique ou en kayak de mer. Plusieurs espèces de cétacés visitent l'estuaire du Saint-Laurent de façon saisonnière. Comme la légendaire baleine bleue, le plus gros animal ayant jamais vécu sur Terre. Tu verras également des bélugas, ces jolies petites baleines blanches qui vivent là toute l'année. De plus, tu pourras observer des phoques et des marsouins.

Voici quelques entreprises spécialisées dans les excursions d'observation des baleines :

- **Croisières Essipit**
  (Les Bergeronnes, Côte-Nord)
- **Croisières Baie de Gaspé**
  (Gaspé, Gaspésie)
- **Croisières AML**
  (Tadoussac, Côte-Nord)

Je ne vois aucune baleine nulle part !

Menteurs !

Un garde-manger pour les baleines

Connais-tu le mets préféré des baleines ? On l'appelle le krill. Il s'agit de minuscules crevettes qui se réunissent en énormes bancs. Le krill est particulièrement abondant dans le fleuve Saint-Laurent, près de Tadoussac, à l'endroit où il rencontre la rivière Saguenay, ce qui attire de nombreuses baleines et en fait un des lieux les plus propices de la planète pour les observer.

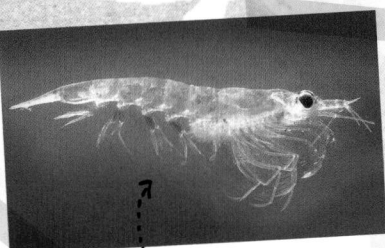

le krill est composé de milliers de petites crevettes comme celle-ci

Mammifères marins

Bien qu'elles vivent sous l'eau, les baleines ne sont pas des poissons. Elles sont des mammifères qui respirent de l'air. Elles montent à la surface pour respirer un bon coup. Ainsi, elles peuvent rester sous l'eau pendant plus d'une heure avant de remonter à la surface. Leur expiration est parfois si puissante qu'on entend comme une explosion! En effet, l'air qu'elles expirent en force peut s'élever à plus de sept mètres au-dessus d'elles.

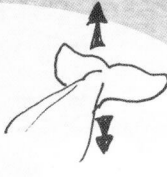

Poisson ou mammifère marin? Regarde la queue!

Poisson : nageoire verticale qui bouge de gauche à droite

Mammifère marin : nageoire horizontale qui bouge de haut en bas

Une colossale entaille rocheuse

Il y a des millions d'années, le sol s'effondre dans un immense fracas sous le poids d'un énorme glacier. Puis le climat se réchauffe peu à peu. Le soleil fait fondre le géant de glace en créant un long couloir escarpé entre le fleuve Saint-Laurent et le lac Saint-Jean. C'est le **fjord du Saguenay**, une vallée profonde aux parois rocheuses vertigineuses. Devant ses majestueux paysages découpés d'anses et de caps, même les plus grands se sentent bien petits…

À partir du village de **L'Anse-Saint-Jean**, tu peux explorer les beautés du fjord de plusieurs façons! Nous te suggérons l'excursion en kayak (Fjord en Kayak), à cheval (Centre équestre des Plateaux) ou à pied (sentier des Caps, secteur de L'Anse-de-Tabatière).

le fjord du Saguenay

Fjord est un mot d'origine norvégienne. On prononce fior !

Un lac grand comme une mer au milieu des bleuets

Au bout du fjord du Saguenay se trouve une véritable mer intérieure, l'immense **lac Saint-Jean**. Tu peux faire le tour du lac à vélo ou en patins à roues alignées, grâce à la Véloroute des Bleuets, une superbe piste cyclable de 250 kilomètres. Les bleuets sont de délicieux petits fruits bleus et ronds. Ils sont si abondants dans la région que les Québécois surnomment affectueusement les habitants du Lac-Saint-Jean les «Bleuets».

des bleuets

Du mois d'août au mois de septembre, tu peux cueillir toi-même des bleuets à la **Bleuetière Touristique** de Dolbeau-Mistassini ou à la bleuetière du **Musée Louis-Hémon**, à Péribonka. En plus de remplir ton panier, tu pourras y visiter la Maison Samuel-Bédard, une authentique maison de colon.

le lac Saint-Jean est si grand qu'on voit à peine l'autre côté

Tente l'expérience palpitante d'une descente de canyon !

*Il ne faut pas confondre l'escalade et le canyonisme. Quand on fait de l'escalade, on grimpe des surfaces rocheuses verticales, mais quand on pratique le canyonisme, on les descend à l'aide d'une technique appelée la «descente en rappel». Au **Parc Aventures Cap Jaseux** de Saint-Fulgence, la descente s'effectue d'un belvédère situé à 35 mètres du sol. Que de frissons en perspective ! Le retour se fait à flanc de falaise par une belle voie creusée dans le rocher, équipée de câbles et d'échelles. Certains intrépides font même du canyonisme sur glace l'hiver !*

Je ne comprends pas pourquoi tout le monde nous appelle comme ça !

Moi non plus !

une tarte
aux bleuets

Goûte à la tourtière
du Saguenay–Lac-Saint-
Jean et à la tarte aux bleuets,
des plats traditionnels de la région. La tourtière du Saguenay–
Lac-Saint-Jean est un gros pâté composé de plusieurs sortes de
viande (souvent avec du gibier) et de pommes de terre coupées
en dés. Sa cuisson peut durer de 5 à 6 heures, et elle est le plat
principal du temps des Fêtes dans la région.

Savais-tu que le lac
Saint-Jean est bordé par
une plage sablonneuse
longue de 15 km ? Au
**parc national de la
Pointe-Taillon**, enfile ton
maillot de bain et profite
de l'eau douce et chaude
du lac ! Après la baignade,
emprunte le sentier de
la Tourbière pour une
randonnée d'observation
des castors !

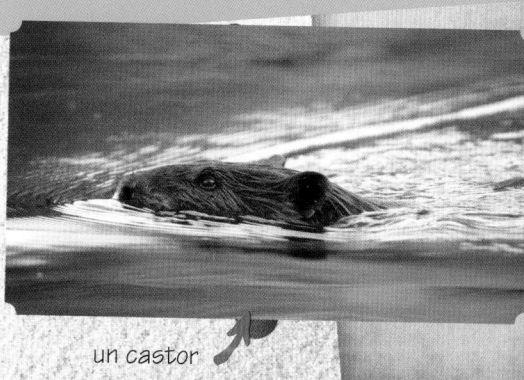

un castor

Au bord de la mer

Deux régions du Québec ont la chance de côtoyer la mer de près : la Gaspésie et les Îles de la Madeleine. Le petit village de Sainte-Flavie marque l'entrée de la Gaspésie, au bord de l'estuaire du Saint-Laurent. L'archipel des Îles de la Madeleine se trouve au cœur du golfe du Saint-Laurent. Tu peux t'y rendre en bateau à partir de l'Île-du-Prince-Édouard, une province maritime du Canada, ou encore en avion.

Quand le fleuve devient la mer...

Imagine un instant l'estuaire du Saint-Laurent comme une grande coupe glacée : fraise, vanille et chocolat ! Tu découvriras trois couches d'eau qui ne se mélangent jamais ensemble. La première, une couche de surface, coule de haut en bas, c'est-à-dire des Grands Lacs vers l'Atlantique. La deuxième, une couche d'eau glaciale, se déplace à l'envers du courant de surface. C'est le courant du Labrador. Ce courant emprunte une profonde vallée sous-marine qui longe la Côte-Nord jusqu'à Tadoussac. La dernière, une couche d'eau moins froide mais plus salée, et donc plus lourde, provient de l'océan Atlantique.

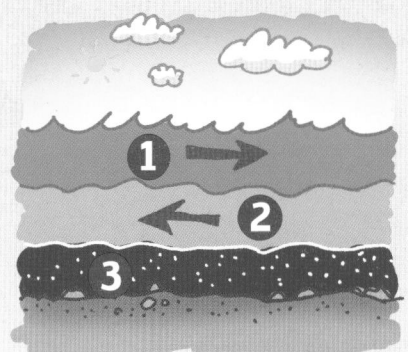

La grande Éole et ses amies

En arrivant à **Cap-Chat**, tu verras apparaître de hautes tours blanches munies de grandes hélices au beau milieu d'un champ. C'est le Nordais, un parc qui abrite la grande Éole, la plus haute éolienne à axe vertical du monde ! Va à la page suivante pour te fabriquer une petite éolienne... un tourne-vent !

des éoliennes

Du bois de grève et des larmes de sirènes

Les plages du Bas-Saint-Laurent et de la Gaspésie regorgent de trésors à dénicher. Le bois de grève a une forme étrange qui te rappelle un animal ? Amuse-toi à le peindre ! Tu trouveras aussi du verre poli, qu'on appelle joliment « larmes de sirène », ainsi que des coquillages à collectionner !

Le mot « éolienne » s'inspire du dieu grec des vents appelé Éole.

Tourne-vent

Voici un jouet facile à fabriquer, et qui fonctionne très bien! Surtout si tu es au bord de la mer, là où le vent souffle fort (voir page précédente)!

Matériel

- Feuille de papier (comme du papier de bricolage)
- Règle
- Crayon
- Punaise
- Baguette en bois (par exemple une baguette chinoise)
- Ciseaux

Fabrication

a. Découpe un grand carré d'au moins 20 cm de côté.

b. Inscris les quatre lettres A, B, C et D aux quatre coins du carré **(1)**.

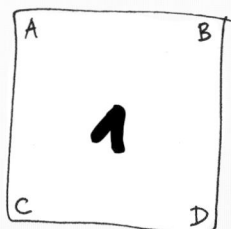

c. Trace deux lignes joignant les lettres A et D et C et B **(2)**.

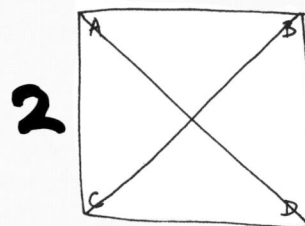

d. Trace un repère au milieu de chaque ligne **(3)**.

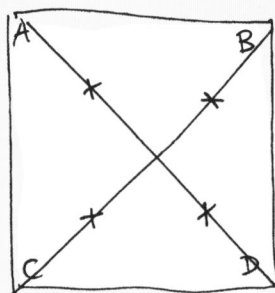

e. Coupe avec les ciseaux chaque ligne AD et BC jusqu'au repère **(4)**.

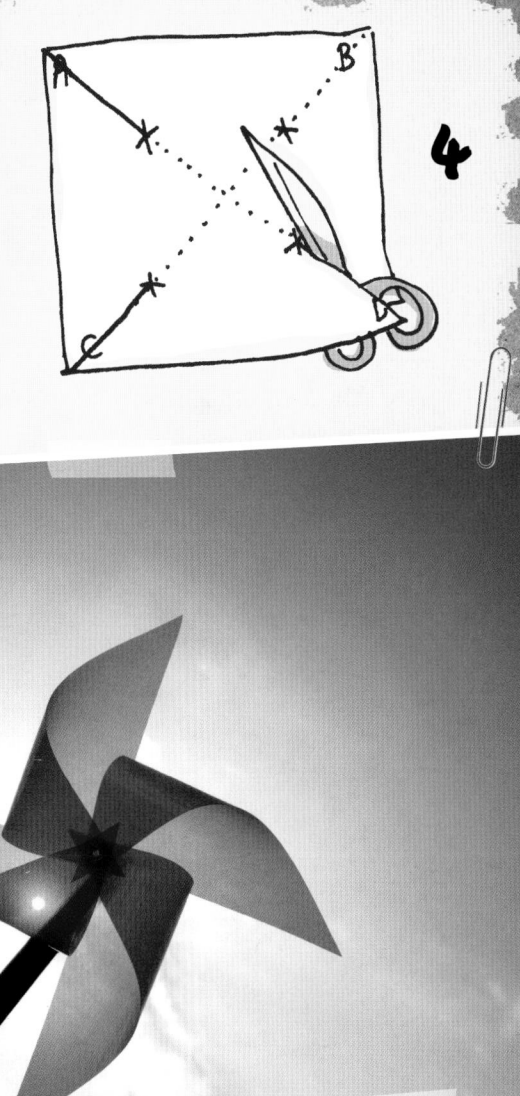

f. Replie vers le centre les pointes A, B, C et D toujours dans le même sens **(5)**, et introduis la punaise au centre du tourne-vent.

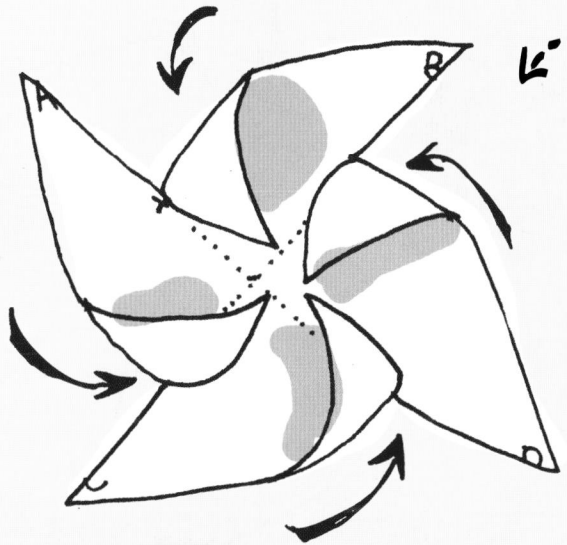

g. Fixe ensuite la punaise dans la baguette de bois.

h. Maintenant fais tourner ton nouveau jouet face au vent !

Au bout du monde

La Gaspésie possède un parc immense qui s'appelle le **parc national Forillon**. Tu verras, c'est un vrai coin de paradis… Les montagnes se précipitent dans la mer. Les petites plages de galets sont bordées d'anses. Les prairies sont parsemées de fleurs sauvages. Les rochers sont sculptés par le temps. Le vent porte une odeur de mer mêlée au parfum des fleurs. La faune nombreuse et variée se laisse parfois approcher. Tu y observeras des renards roux, des ours noirs, des orignaux, des porcs-épics, des goélands et des cormorans. Il est même possible d'apercevoir au large des baleines et des phoques. Comprends-tu pourquoi le parc a choisi le thème « L'harmonie entre l'Homme, la Terre et la Mer » ?

Pour faire une randonnée en longeant la mer, emprunte le sentier pédestre Les Graves et pars à la découverte des anses et des plages de galets.

La croix de Jacques Cartier
À Gaspé, la **croix de Gaspé** commémore l'arrivée de Jacques Cartier, le célèbre explorateur français. C'est là qu'il a pris possession du Canada en 1534, au nom du roi de France.

France

Gaspé

Gaspé est un mot d'origine micmaque qui signifie « le bout du monde ».

dans la mer, il n'est pas rare d'apercevoir des phoques le long des côtes !

Un rocher troué ?

Au détour de la côte de la Surprise, quelle surprise ! Un immense rocher attire immanquablement le regard. Il se tient dans l'eau à marée haute, tel un énorme vaisseau. Et au bout, un gros trou ! C'est le **rocher Percé**, dont l'arche est connue dans le monde entier.

Même si une seule arche subsiste aujourd'hui, on croit qu'à l'époque de l'arrivée de Jacques Cartier, en 1534, le rocher était relié à la côte et comportait trois trous !

À côté du port de pêche du village de L'Anse-à Beaufils se trouve le **Magasin Général Historique Authentique 1928**. On se croirait dans un musée vivant où des personnages en costumes d'époque racontent de savoureuses anecdotes gaspésiennes !

Deviens spéléologue !

*Le monde souterrain est un étrange univers ! Une visite de la **grotte de Saint-Elzéar**, en Gaspésie, est une superbe occasion de le découvrir. Cette grotte est âgée de plus d'un demi-million d'années. Elle possède les deux plus grandes salles souterraines connues au Québec. Admire ses impressionnantes stalactites et stalagmites ! Et frissonne à la vue de tous les ossements d'animaux piégés dans les cavernes… Pense à emporter des vêtements chauds, car la température ambiante est de 4°C.*

Rappelle-toi cette astuce : les stalac**t**ites **t**ombent et les stalag**m**ites **m**ontent !

Un paradis pour les saumons

Les eaux limpides des rivières de la Gaspésie foisonnent de saumons. Les saumons sont de grands poissons qui suscitent la passion des pêcheurs. Les berges des rivières Causapscal et Matapédia sont particulièrement propices à leur observation. C'est tellement fascinant de les voir bondir pour remonter les cascades !

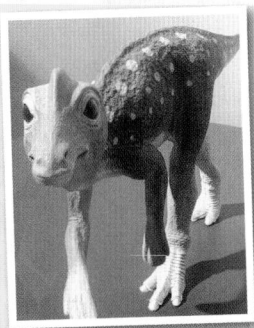

Au Musée d'histoire naturelle du **parc national de Miguasha**, tu pourras admirer de drôles de dinosaures et des fossiles vieux de 380 millions d'années.

des fous de Bassan qui s'embrassent !

L'île Bonaventure

De Percé, un traversier conduit les passagers à **l'île Bonaventure**. Cette île abrite des milliers de fous de Bassan qui se collent les uns contre les autres. Quel tapage ! As-tu déjà vu autant d'oiseaux ? Reconnais-tu les petits ? Leur duvet est gris. Le plumage des adultes est blanc et leur tête est jaune. L'île Bonaventure, battue par les vents, est une extraordinaire réserve ornithologique qui protège plus de 250 000 oiseaux.

Je n'aurais pas dû vider la bouteille d'eau pour me laver les mains !

Ni manger toutes ces chips !

Il n'y a pas de moustiques sur l'île Bonaventure parce qu'il n'y a pas de milieux humides comme les étangs ou les lacs. Mais il n'y a pas non plus de point d'eau potable sur l'île. Pense donc à emporter une gourde !

Des îles colorées

Les îles de la Madeleine sont le royaume de la couleur. Le blond des dunes et des longues plages sauvages se marie au rouge des falaises et au bleu de la mer. De pittoresques maisons colorées comme des bonbons parsèment la douzaine d'îles qui composent l'archipel. Balayées par les vents du large, elles sont un paradis pour tous les sports de voile. C'est un endroit idéal pour s'y initier. Et ne résiste pas à l'envie de faire tournoyer un cerf-volant multicolore !

Pour contempler un coucher de soleil époustouflant, rends-toi aux **falaises de la Belle Anse** à l'île du Cap aux Meules. Le parc de Gros-Cap y organise aussi des sorties en kayak de mer qui permettent de pénétrer dans les grottes formées dans les falaises par la force des vagues.

Caresse un oursin !

As-tu déjà touché les tentacules d'une anémone de mer ? les épines d'un oursin ? La mer recèle tant d'organismes bizarres : méduses, étoiles et concombres de mer, homards, anguilles et raies... À l'**Aquarium des Îles**, sur l'île du Havre Aubert, il est possible de toucher des espèces marines dans les bassins de manipulation. L'aquarium abrite même des requins et des phoques. Parfois des courses de crabes y sont organisées. Tu peux aussi participer à une des journées « Aqua-Science » pour découvrir les plantes et les animaux qui vivent sur les rives et les moyens de les préserver.

Aïe !...

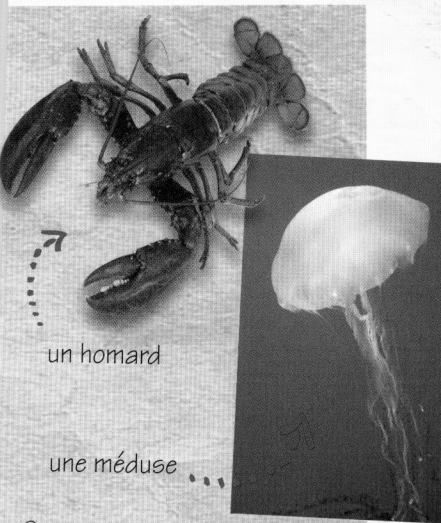

un homard

une méduse

Sais-tu que certaines espèces d'oursins sont comestibles ? Et que dans certains pays d'Asie, on mange même des méduses ? Appétissant, hein !

Châteaux d'un jour

Prends ta pelle et ton seau ! Amuse-toi à construire des remparts, des fossés et des douves. Et pourquoi pas un donjon, des tours, des tunnels, des ponts et des murailles... Le célèbre **concours de châteaux de sable des Îles de la Madeleine**, ouvert à toute la famille, a lieu depuis plus de 20 ans. Il se déroule au mois d'août sur la dune Sandy Hook, à l'île du Havre Aubert. Tu verras, cette longue plage te donnera le sentiment d'être arrivé au bout du monde.

En ville

La plupart des Québécois habitent dans les villes situées sur les rives du fleuve Saint-Laurent. La ville de Québec est la capitale de la province, tandis que Montréal est sa métropole, c'est-à-dire la ville la plus peuplée du Québec. De nombreux parcs et espaces naturels invitent à la détente au milieu de leurs quartiers animés et en retrait de la circulation automobile. Il y a tant de monde partout, tant de lumières, tant de choses à voir et à faire ! C'est vraiment excitant, la ville !

À Québec, en te promenant sur la **terrasse Dufferin,** tu pourras admirer le magnifique **Château Frontenac,** qui domine la ville et le fleuve. Ce château n'a ni prince ni princesse, mais il abrite un hôtel qui détient le record de « l'hôtel le plus photographié au monde ».

Le passé bien présent !

Le bruit des calèches résonne encore dans les rues étroites du Vieux-Montréal et le long des fortifications du Vieux-Québec. Les magnifiques bâtiments historiques témoignent du passé glorieux des Québécois. À leurs côtés, tu trouveras des boutiques attrayantes et des terrasses accueillantes animées par des amuseurs publics.

Pointe-à-Callière, musée d'archéologie et d'histoire de Montréal, présente, en plus d'un spectacle multimédia et des vestiges découverts sur le site, des conversations entre des personnages holographiques qui racontent l'histoire de la ville.

Le **Musée des beaux-arts de Montréal** propose des expositions passionnantes, des jeux créatifs et, surtout, le lounge famille, un espace confortable pour bouquiner et contempler la murale hallucinante qui en couvre les murs et le plafond!

Le **Musée de la civilisation** de Québec organise des ateliers lors desquels tu peux toucher et utiliser des répliques d'objets ayant appartenu aux premiers habitants du Québec.

Au **Lieu historique national des Fortifications-de-Québec**, il est possible de marcher sur les murs d'enceinte érigés pour protéger la ville, et la **Citadelle**, avec ses 25 bâtiments, représente trois siècles d'histoire militaire en Amérique du Nord.

une calèche dans le Vieux-Montréal

S'il est un musée qu'il faut absolument voir au Québec, c'est bien le **Musée canadien des civilisations** (qui sera bientôt renommé Musée canadien d'histoire) à Gatineau. Tu pourras entre autres y contempler la plus importante collection de mâts totémiques amérindiens au monde!

La place Royale à Québec. C'est là qu'a été fondée la ville en 1608, il y a plus de 400 ans!

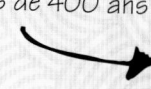

Tu pourras y faire la rencontre de Samuel de Champlain, qui, par le biais d'un film, te racontera ses récits de voyage et ses aventures dans le Nouveau Monde!

Un centre-ville qui bouillonne d'activité

Le centre-ville de Montréal fourmille de gens pressés. Au pied des gratte-ciel modernes, des boutiques et des restaurants en tout genre avoisinent des salles de spectacle et des bâtiments anciens rénovés. Et il y a autant d'animation au-dessus qu'au-dessous ! En effet, un vaste réseau de galeries intérieures et de tunnels souterrains relie entre eux plusieurs centres commerciaux, des cinémas, des bureaux, des résidences et des stations de métro. Cette partie cachée de la ville, que l'on dénomme le **Montréal souterrain**, permet aux citadins d'effectuer leurs activités quotidiennes tout en restant à l'abri du mauvais temps.

Mais non ! La main rouge veut dire qu'il ne faut pas traverser maintenant...

... pas qu'il faut lever les mains !

Prends le train... sous terre !

Comme dans plusieurs grandes villes du monde, il y a un métro à Montréal. Il roule toujours sous terre, et grâce à lui, tu peux te déplacer rapidement dans la ville. Pour aller au parc Jean-Drapeau, sur l'île Sainte-Hélène, le métro roule longuement sous le fleuve Saint-Laurent. Tu imagines tous les poissons nageant au-dessus de ta tête ?

MÉTRO

les boutiques de l'avenue Cartier à Québec

les maisons colorées du Plateau Mont-Royal à Montréal

Une vie de quartier

À Québec, il est difficile de résister au charme des jolies rues du quartier historique du **Petit-Champlain**, animé toute l'année par des musiciens et des chanteurs. Une façon rigolote d'y accéder est d'emprunter le **funiculaire** qui circule entre la terrasse Dufferin et l'extrémité nord de la rue du Petit-Champlain. Dans le quartier **Saint-Roch**, comment ne pas s'arrêter un long moment dans le fabuleux magasin de jouets **Benjo** ?

À Montréal, les rues bordées d'arbres du **Plateau Mont-Royal** invitent à la promenade. On sent qu'il fait bon vivre dans ses maisons colorées, avec leurs escaliers extérieurs, leurs petits jardins et leurs ruelles.

Une tour penchée ?
Si tu n'as pas le vertige, tu pourras admirer toute la ville depuis le sommet de la **Tour de Montréal** du Stade olympique. Celle-ci est la « plus haute tour inclinée du monde ».

Centre-ville
de Montréal

Tour du 1000 De La
Gauchetière: plus haut
bâtiment de la ville,
avec 233m.

Mont Royal, haut de 233m.
Aucune construction de la ville n'a
le droit d'en dépasser la hauteur.

Parc du Mont-Royal

De grands parcs
en plein cœur des grandes villes

Le **parc du Mont-Royal**, le **parc La Fontaine** ou
le **parc Maisonneuve** à Montréal, tout comme les
plaines d'Abraham à Québec, permettent aux
citadins de pique-niquer sur l'herbe et d'avoir des
loisirs en pleine nature. En été, on s'y promène à
pied, à vélo ou en patins à roues alignées dans de
jolis sentiers. L'hiver, on y pratique le ski de fond,
la raquette, le patin ou la glissade.

Savais-tu que, chaque hiver,
on construit le **Village des
neiges** dans le parc Jean-
Drapeau à Montréal ? Tu peux
entre autres visiter un hôtel
de glace (et même y dormir)
et des igloos et manger
dans un restaurant aussi
entièrement fait de glace !
Habille-toi chaudement !

En été, le **parc Laurier**, dans le quartier du Plateau Mont-Royal de Montréal, est très populaire auprès des familles qui viennent y jouer et pique-niquer. En plus d'abriter une vaste aire de jeux et une piscine, il accueille des soirées cinéma les mercredis, et tu pourras même apercevoir des danseurs de tango en action les jeudis soir!

du tango, c'est ça

Les tams-tams du mont Royal

Une fête spontanée et colorée a lieu tous les dimanches d'été dans le parc du Mont-Royal. Dans une ambiance joyeuse, petits et grands dansent, pique-niquent ou jouent au ballon au rythme des tam-tams.

Il y a des écureuils partout dans les parcs...

... et on croise parfois aussi des ratons laveurs!

Fais du pédalo en ville!

Quel plaisir de se laisser glisser sur l'eau doucement au milieu des canards en regardant les écureuils courir dans les arbres! Plusieurs plans d'eau dans les parcs proposent la location de pédalos et de canots. Pédale sur le lac aux Castors dans le **parc du Mont-Royal**. Rame dans la **baie de Beauport**, à deux pas du centre-ville de Québec!

Les grands ports

Les ports de Québec et de Montréal accueillent de gros cargos transportant des marchandises de tous les pays du monde. Ces navires y font escale tout au long de l'année, même en hiver, grâce aux brise-glace. L'été, on y voit aussi de superbes paquebots de croisière et de jolis bateaux de plaisance. On peut se promener près des quais à pied, à vélo ou en patins à roues alignées grâce à plusieurs pistes cyclables.

À Montréal, les quais du Vieux-Port abritent un passionnant **Centre des sciences** qui offre de multiples activités éducatives et jeux interactifs et qui renferme un cinéma IMAX.

Circule à bord d'un véhicule qui va sur la terre et sur l'eau !

*À bord de l'**Amphi-Bus**, tu partiras à la découverte du plus ancien quartier de Montréal. Ce véhicule coloré et amusant roule d'abord dans les rues du Vieux-Montréal. Puis, arrivé au Vieux-Port, il se lance dans l'eau comme un bateau! À travers ses grandes fenêtres, tu pourras sentir la caresse du vent qui souffle sur le fleuve Saint-Laurent...*

À saute-mouton sur les vagues

«Big John», «Ouatatoucas», «Rince Narine»... ces grosses vagues des **rapides de Lachine** aux noms amusants empêchaient autrefois la navigation sur le fleuve Saint-Laurent. Aujourd'hui, l'entreprise **Saute-Moutons** en a fait une source de sensations fortes. Dans un décor fabuleux, avec les gratte-ciel du centre-ville de Montréal, tu les braveras en canot motorisé ou en radeau pneumatique dans une excursion rafraîchissante qui offre une bonne dose de frissons !

Des îles en ville

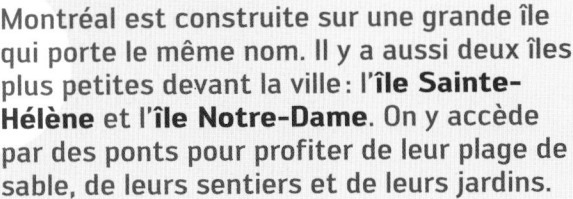

Montréal est construite sur une grande île qui porte le même nom. Il y a aussi deux îles plus petites devant la ville : l'**île Sainte-Hélène** et l'**île Notre-Dame**. On y accède par des ponts pour profiter de leur plage de sable, de leurs sentiers et de leurs jardins.

Hurle de bonheur dans des manèges fous !

Connais-tu les montagnes russes ? As-tu envie de te laisser entraîner dans d'affolantes boucles et des vrilles étourdissantes ? **La Ronde**, un parc d'attractions exceptionnel, situé sur l'île Sainte-Hélène à Montréal, en plein milieu du fleuve Saint-Laurent, offre plus de 50 manèges étourdissants. À bord du Goliath, tu auras l'impression de voler au-dessus de l'île !

Découvre le ciel
au Planétarium Rio Tinto Alcan

Salue les manchots
au Biodôme de Montréal

Promène-toi au milieu des papillons dans la
Grande Serre du Jardin botanique de Montréal

Tant de découvertes à faire !

Tu t'intéresses à l'astronomie ? Le tout nouveau **Planétarium Rio Tinto Alcan** te propose une immersion multimédia dans le ciel nocturne, avec ses milliers d'étoiles, ses planètes, ses nébuleuses et ses galaxies, ainsi que des expositions interactives qui présentent les outils d'observation des astronomes. Le planétarium possède aussi une collection de météorites et de fossiles.

Le **Biodôme de Montréal** recrée cinq écosystèmes d'Amérique. Tu y passeras de la chaleur humide de la forêt tropicale à l'air frais de la forêt laurentienne. Puis tu observeras les profondeurs du Saint-Laurent marin et les rivages subpolaires, où vivent les manchots. Du caïman à la chauve-souris, du piranha aux aras écarlates, de l'anémone de mer au grand héron, la visite est étonnante !

Au cours de l'événement Papillons en liberté, du mois de février au mois d'avril, le **Jardin botanique de Montréal** t'ouvre les portes de sa Grande Serre, où voltigent des centaines de papillons tropicaux. Si tu visites le secteur du Jardin de Chine au mois de septembre ou d'octobre, pendant l'événement Jardins de lumière, tu pourras admirer un spectacle coloré et féerique.

Goûte une « sucette croque-insectes » !

À l'**Insectarium de Montréal**, tu découvriras avec fascination les insectes et le rôle considérable qu'ils jouent dans la nature. Et tu peux même en goûter ! Dans certains pays, des gens se nourrissent parfois d'insectes ; pourquoi ne pas essayer ?

La fête dans la rue

Les villes accueillent en toute saison de nombreux festivals. L'été, les rues sont animées par des jongleurs, des clowns et des acrobates. La musique résonne dans tous les coins, et des spectacles de théâtre de rue enchantent les passants. Certains festivals sont célèbres dans le monde entier !

→ Les **FrancoFolies** sont dédiées à la chanson francophone.

→ Le **Festival Juste pour rire** est le plus grand festival d'humour au monde.

→ Le **Festival international de jazz de Montréal** et le **Festival d'été de Québec** proposent des spectacles en plein air qui attirent des foules immenses.

→ Au cours du festival **Montréal en lumière**, en plein hiver, les rues du Vieux-Montréal sont illuminées et truffées d'activités.

→ Au mois de février, le **Carnaval de Québec** célèbre l'hiver avec ses merveilleuses sculptures de glace ou de neige.

Pendant trois fins de semaine de janvier et février, le parc Jean-Drapeau est l'hôte de la **Fête des neiges de Montréal**, qui propose des activités de plein air pour tous les goûts, entre autres la glissade sur tube, la descente en tyrolienne, les balades en traîneau à chiens et la trottinette des neiges.

le Carnaval de Québec

le Festival Juste pour rire à Montréal

Chez les Amérindiens

BOUM
BOUM
BOUM

Lorsque les Européens découvrent le Nouveau Monde, une mosaïque de peuples indigènes occupe déjà ce vaste continent depuis longtemps. Leurs ancêtres étaient des nomades originaires du nord de l'Asie. Ils auraient franchi le détroit de Béring il y a plus de 12 000 ans et, quelques millénaires plus tard, commencèrent à peupler la péninsule québécoise.

Ces Autochtones souffrirent grandement de la colonisation. Les nouvelles maladies, qui emportèrent jusqu'à la moitié des membres de certaines nations, les guerres reliées au commerce de la fourrure et la perte de territoire de chasse et de pêche, ont profondément bouleversé leur mode de vie traditionnel.

Aujourd'hui, les Amérindiens et les Inuits revendiquent le droit de gérer eux-mêmes leurs nations, d'obtenir de meilleures conditions de vie et d'éducation et de réduire la pauvreté qui les affectent durement. Des communautés dynamiques organisent des séjours de tourisme, et des initiatives culturelles font maintenant rayonner les talents, les idées et les préoccupations des jeunes Autochtones du Québec !

Les mâts totémiques servent entre autres à représenter les animaux protecteurs, mythiques ou réels, du clan ou encore à raconter une histoire...

Les **11** nations autochtones du Québec se regroupent en trois familles culturelles distinctes :

Culture **algonquienne**

1 Abénaquis
2 Algonquins
3 Attikameks
4 Cris
5 Malécites
6 Micmacs
7 Montagnais (Innus)
8 Naskapis

Culture **iroquoienne**

9 Hurons-Wendat
10 Mohawks

Culture **inuite**

11 Inuits

Tourne la page pour découvrir où sont réparties ces nations dans la province.

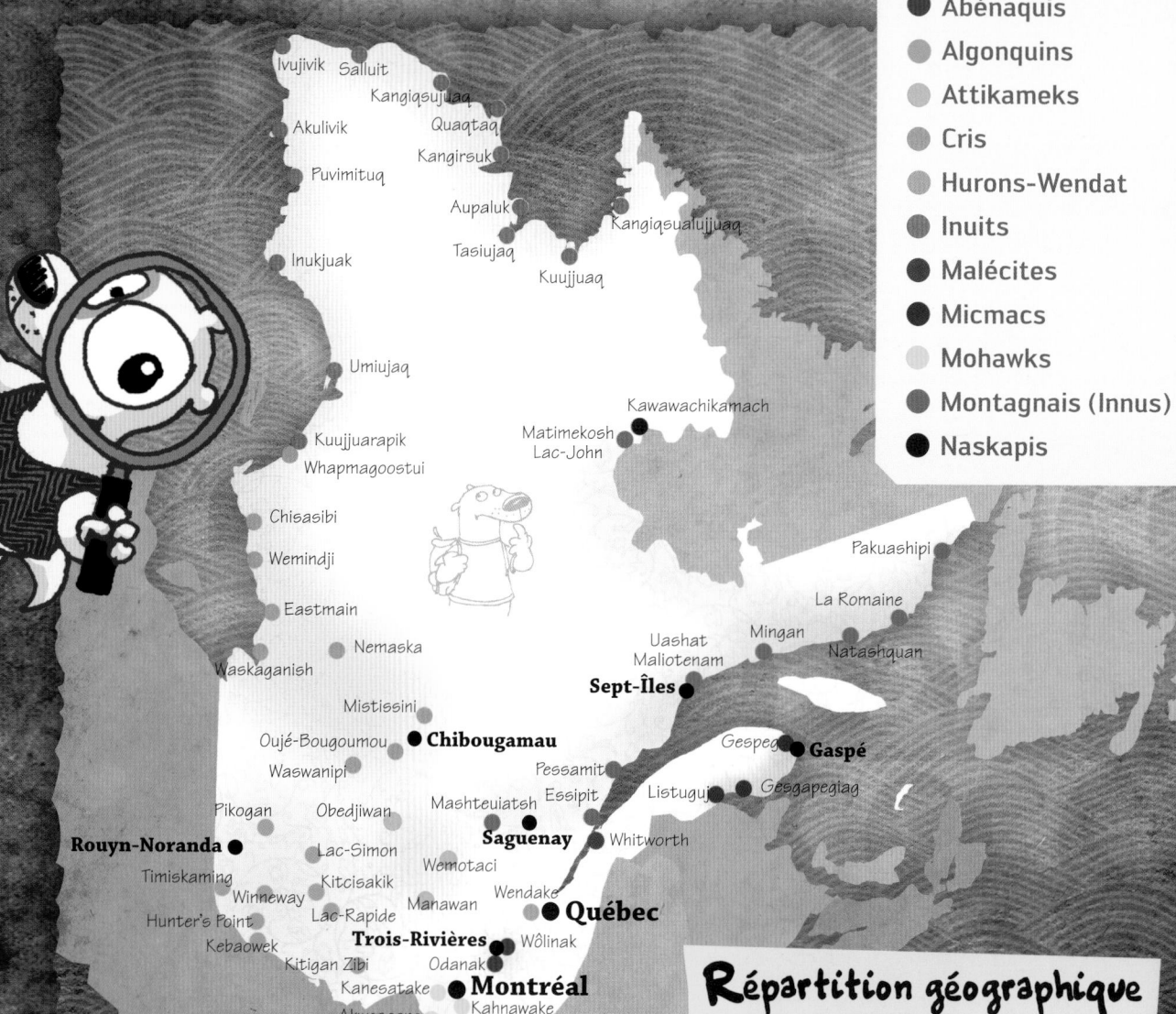

Abénaquis
Algonquins
Attikameks
Cris
Hurons-Wendat
Inuits
Malécites
Micmacs
Mohawks
Montagnais (Innus)
Naskapis

Ivujivik
Salluit
Kangiqsujuaq
Akulivik
Quaqtaq
Kangirsuk
Puvimituq
Aupaluk
Kangiqsualujjuaq
Inukjuak
Tasiujaq
Kuujjuaq

Umiujaq

Kawawachikamach
Matimekosh
Lac-John
Kuujjuarapik
Whapmagoostui

Chisasibi

Pakuashipi

Wemindji

La Romaine

Eastmain

Mingan
Natashquan
Uashat
Maliotenam
Nemaska
Waskaganish

Sept-Îles

Mistissini
Gespeg
Gaspé
Oujé-Bougoumou
Chibougamau
Pessamit
Waswanipi
Essipit
Listuguj
Gesgapegiag
Pikogan
Obedjiwan
Mashteuiatsh
Rouyn-Noranda
Saguenay
Whitworth
Lac-Simon
Timiskaming
Wemotaci
Kitcisakik
Winneway
Wendake
Manawan
Québec
Hunter's Point
Lac-Rapide
Trois-Rivières
Wôlinak
Kebaowek
Odanak
Kitigan Zibi
Montréal
Kanesatake
Kahnawake
Akwesasne

Répartition géographique des 11 nations

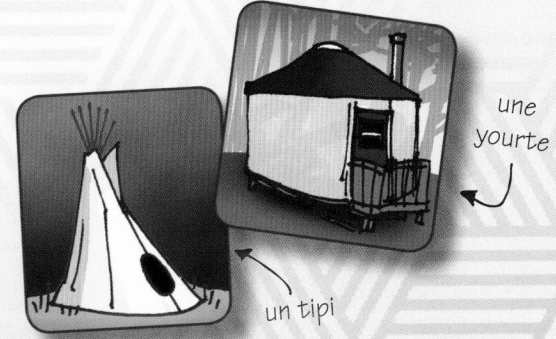

Les aventures en pleine nature

Abitibi8inni (le 8 se prononce comme un *w*) **Aventure et culture** organise, du début de juin à la fin de septembre, des excursions en canot sur la rivière Harricana, pour toute la famille, avec des guides algonquins passionnants. Tu expérimenteras la vie autochtone comme à l'époque des grandes expéditions amérindiennes en canot, en plus d'avoir l'occasion de goûter la cuisine traditionnelle et de dormir sous le tipi ou dans un camp aménagé.

À Manawan, la nation atikamekw pratique encore certaines activités traditionnelles comme la fabrication de canots, de raquettes, de mocassins et de paniers en écorce de bouleau. En plus de visiter le **site traditionnel de Matakan**, on te propose des expéditions en canot, accompagné de guides-interprètes locaux, avec observation de la faune, nuit sous le tipi et ateliers de construction de canot d'écorce en prime.

L'entreprise **Aventure Plume Blanche** t'invite à découvrir la culture innue qu'on appelle aussi montagnaise. Durant plus de 1 000 ans, les Innus ont vécu en communautés nomades tout autour du lac Saint-Jean. Aujourd'hui à Mashteuiatsh, on te propose des séjours où tu pourras déguster des mets traditionnels, fabriquer une œuvre artisanale et en apprendre davantage sur leurs us et coutumes, leurs aspirations et leur savoir-faire. Tu peux aussi dormir dans une habitation traditionnelle comme un tipi, un *shaputuan* ou encore une yourte !

Rencontre la nation atikamekw à Manawan

une yourte

un tipi

Les villages et les musées... pour plonger dans la culture !

En 1700, quelque 300 Hurons s'installent à La Jeune-Lorette, aujourd'hui Wendake, près de la ville de Québec.

Lors de ton passage à Wendake, prévois faire une visite au **Site traditionnel huron Onhoüa Chetek8e**, une reconstitution d'un village huron-wendat tel qu'il en existait aux débuts de la colonisation. La visite est commentée par d'excellents guides amérindiens vêtus d'habits traditionnels wendats. Tu assisteras à un spectacle de danse traditionnelle et tu pourras même goûter à divers mets amérindiens au chouette restaurant du village. Tu trouveras aussi à Wendake le Musée huron-wendat et la Maison Tsawenhohi, qui t'en apprendront davantage sur les savoir-faire traditionnels.

Toujours à Wendake, tu pourras admirer la magnifique **chute Kabir Kouba**, haute de 28 m. Son nom signifie « serpent » en algonquin et s'inspire du tracé sinueux de la rivière Saint-Charles. Il s'agit d'un lieu sacré pour les Hurons-Wendat, la rivière et la chute étant protectrices de leur nation.

Jette aussi un coup d'œil sur la magnifique **Fresque du peuple wendat**, que tu trouveras devant la place de la Nation, près de la chute Kabir Kouba. Tu y remarqueras entre autres les quatre espèces animales qui représentent les clans venus s'établir dans les environs, soit les clans du Loup, de l'Ours, du Chevreuil et de la Tortue.

Pour saluer les gens dans la réserve de Wendake, dis « Kwé kwé » !

Maison longue, Site traditionnel huron Onhoüa Chetek8e

Dis donc, Edgar, on est populaire, on dirait!

En 1700, les Abénaquis, originaires de l'État américain du Maine, fidèles alliés des Français, s'installent dans une mission jésuite près de la rive sud du lac Saint-Pierre, en bordure de la rivière Saint-François. La mission, pillée par les troupes britanniques en 1759, est devenue une réserve amérindienne, Odanak, qui abrite le **Musée des Abénakis**. Tu découvriras dans ce musée la culture de la nation abénaquise et sa relation avec les colons français.

Les **pow-wow** constituent un excellent moment pour visiter les villages amérindiens. Ils se déroulent souvent en été.

Voici quelques pow-wow importants:
Wendake et **Odanak**:
fin juin ou début juillet
Mashteuiatsh: mi-juillet
Manawan: début août

Capteur de rêves

Les capteurs de rêves ont été créés à l'origine par les nations amérindiennes. Ces objets en forme de toile d'araignée avaient pour objet de retenir les cauchemars, qui disparaissaient avec les premiers rayons du soleil.

Matériel

- Branche longue et souple d'au moins 50 cm de longueur
- Cordon de suède ou de tissu
- Ficelle de 150 cm de longueur
- Trois cordons solides de différentes longueurs
- Perles, petits morceaux de bois, plumes, coquillages
- Colle

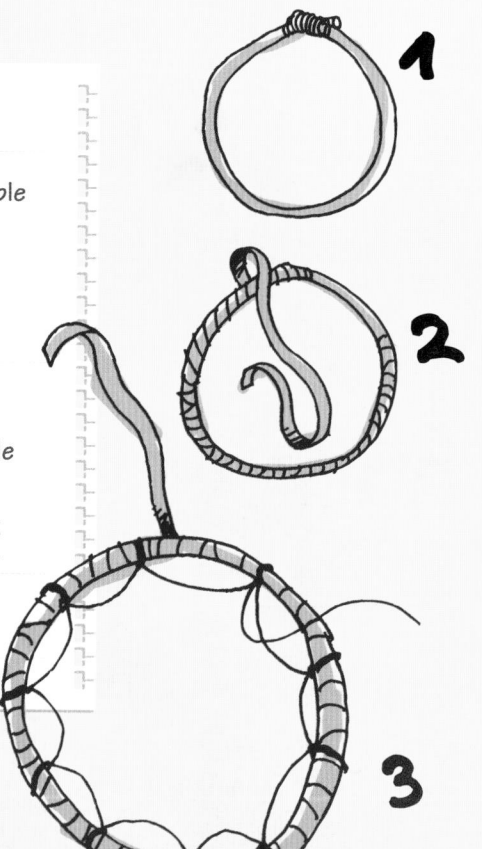

Fabrication

a. Trouve une branche longue et souple pour former un anneau d'environ 20 cm de diamètre. Relie les extrémités avec de la ficelle **(1)**.

b. Applique de la colle sur l'anneau et enroule le cordon de suède ou de tissu autour. Serre-le bien. Ne coupe pas le morceau en trop quand tu auras fini de faire le tour de l'anneau; il servira à accrocher ton capteur de rêves **(2)**.

c. Prends la ficelle et attache-la autour de l'anneau à intervalles réguliers, sans serrer, et en faisant un nœud chaque fois **(3)**.

d. Fais d'autres boucles en passant toujours au milieu des boucles que tu as faites avant. Essaie de tendre le fil, mais ne tire pas trop fort **(4)**. Fais comme le dessin l'indique **(5)**.

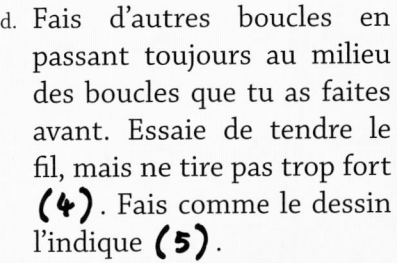

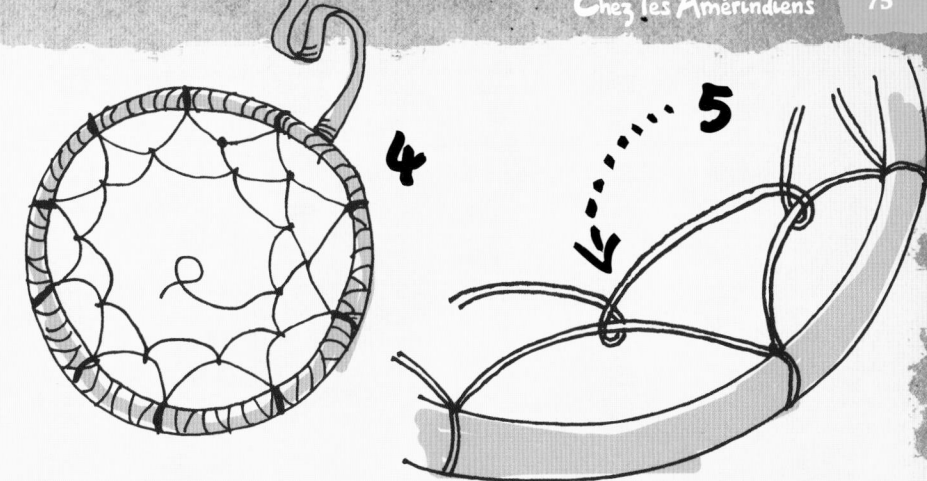

e. Quand tu seras presque au centre de l'anneau, ferme la toile à l'aide d'un nœud et attaches-y un joli petit caillou, une perle ou un tout petit coquillage **(6)**.

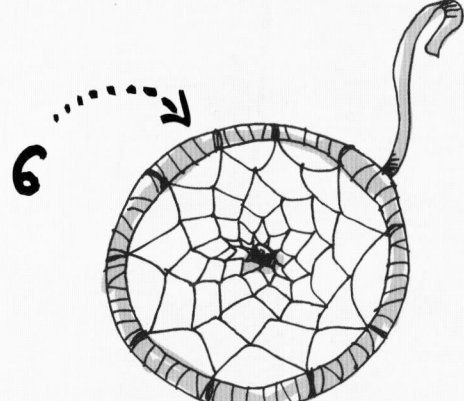

f. Attache trois cordons à l'anneau que tu laisseras pendre, et auxquels tu noueras des plumes, des perles, des coquillages ou de petits morceaux de bois **(7)**.

g. Accroche le capteur de rêves au-dessus de ton lit. Il attrapera tes cauchemars dans sa toile, qui s'envoleront au lever du jour. Bonne nuit !

Vers le Grand Nord

Le Grand Nord québécois est constitué des régions du Nunavik et de la Baie-James et Eeyou Istchee (territoire cri). C'est à la fois la plus grande partie de la province et la moins peuplée. Plus tu iras vers le nord, plus le climat sera froid. Tu observeras aussi que les routes et les villages se font plus rares. Par endroits, seuls l'avion ou l'hélicoptère permettent de se déplacer parmi ces gigantesques étendues sauvages. Le silence s'installe, troublé seulement par le passage des troupeaux de caribous.

Savais-tu que les plus vieilles roches de notre planète ont été trouvées dans la «ceinture de roches vertes de Nuvvuagittuq», à 40 km au sud d'Inukjuak, dans le Grand Nord québécois ? Elles ont environ 4 milliards d'années !

De l'eau, des barrages et de l'électricité

Dans la région de la Côte-Nord se dressent les gigantesques barrages des centrales hydroélectriques **Manic-2** et **Manic-5**. Une visite de Manic-2 sera l'occasion pour toi de tout apprendre au sujet de la production d'énergie, de la goutte d'eau jusqu'à l'électron. Tu pourras comprendre comment l'eau retenue par les barrages permet de produire de l'électricité. L'architecture unique du barrage de Manic-5 est impressionnante.

le gigantesque barrage Daniel-Johnson de la centrale Manic-5

Savais-tu que le réservoir du barrage Daniel-Johnson est formé par le **cratère de Manicouagan**, qui est l'un des plus grands cratères du monde ? Il a été créé par l'impact d'une météorite tombée de l'espace à l'époque du Trias, il y a plus de 200 millions d'années !

Savais-tu que la superficie du plus grand lac naturel du Québec, le **lac Mistassini** (2 336 km²), situé dans la région de la Baie-James et Eeyou Istchee, équivaut à celle du Luxembourg ?

Des aurores magiques...

Dans le nord du Québec, les aurores boréales sont fréquentes. De longs voiles fluorescents, verts, jaunes ou bleus, ondulent dans le ciel. Ils sont particulièrement visibles pendant les nuits d'été. Autrefois considérés comme magiques, ces rideaux de lumière sont en fait des phénomènes naturels fascinants qui se produisent très haut dans l'atmosphère.

Guide un traîneau à chiens !

Autrefois, les Inuits du Grand Nord n'avaient que leurs traîneaux à chiens pour se déplacer sur les grandes étendues glacées... Aujourd'hui, dès les premières neiges, il est possible de vivre la même expérience palpitante dans différentes régions du Québec. Tu pourras parcourir toi aussi un sentier enneigé en dirigeant un attelage de chiens lancé à vive allure !

Une végétation de plus en plus petite

Les immenses forêts mixtes parsemées de lacs et de rivières cèdent peu à peu la place à la taïga. La taïga est composée principalement de conifères comme le sapin. Plus loin encore, la végétation timide que tu trouveras s'appelle la toundra. La toundra abrite de longues zones recouvertes de mousses et de lichens. Dans l'extrême nord du Québec, il n'y a plus un seul arbre !

la taïga

Si tu trouves des tomates, dis-le-moi !

ᐅᖃᖅᑕᐅᑦ
STOP

Une langue étonnante

Les Inuits utilisent une langue appelée **inuktitut**. Cette langue n'emploie pas l'alphabet que tu connais, mais des caractères qui correspondent chacun à une syllabe. As-tu déjà vu des lettres comme ça ?

Euh... Peux-tu répéter ?

En inuktitut, inukshuk signifie « à l'image de l'homme »

Les villages du Nunavik portent des noms difficiles à prononcer. Arriveras-tu à dire Kuujjuaq, Ivujivik, Tasiujaq, Puvimituq, Kuujjuarapik, Kangiqsualujjuaq ou Whapmagoostui ?

Des statues de pierre bien utiles

Dans le Grand Nord, tu verras des amoncellements de pierres qui ressemblent à des individus : ce sont des inukshuks. Ces sortes de statues, dont certaines ont plus de 1000 ans, sont fabriquées par les Inuits pour leur servir de points de repère. Elles sont dispersées sur la terre gelée, visibles à des kilomètres à la ronde.

5
4
3
2
1

Pour construire ton propre inukshuk, ramasse des pierres plates que tu pourras empiler facilement comme sur le dessin. Sers-toi de ton imagination et de tes trouvailles pour personnaliser ton inukshuk !

Respecte la nature !

Savais-tu que, chaque année, des milliers de personnes visitent les sites naturels et les parcs nationaux du Québec ? C'est pourquoi il est important, si tu en parcours la forêt, de respecter la flore et la faune environnantes, afin que tous les visiteurs, petits et grands, puissent en profiter pleinement.

Voici quelques règles simples à suivre pour passer de belles journées en plein air sans laisser de trace !

> Lors d'une randonnée pédestre en forêt, marche toujours dans les sentiers balisés. Cela t'évitera d'abîmer le sol et les plantes de la forêt, qui sont si fragiles.

> Ne laisse surtout pas tes déchets dans la nature ! Pense à apporter un sac dans lequel tu pourras mettre tous tes rebuts, que tu jetteras ensuite dans une poubelle. N'oublie pas de penser au recyclage et de faire le tri des déchets quand c'est possible.

> Observe autant que tu le souhaites les plantes et les fleurs que tu découvres dans la nature, mais veille à ne pas les cueillir ou les déraciner. Si tu veux ramasser des souvenirs dans la forêt, demande d'abord la permission à un adulte.

> Si tes parents et toi désirez faire un feu de camp, ne le faites que dans les emplacements prévus à cette fin. Un gros incendie est si vite arrivé !

> Respecte la vie sauvage en observant les animaux de loin, sans imposer ta présence. Et surtout, ne nourris jamais les animaux sauvages.

> Enfin, respecte les autres randonneurs ou campeurs en étant toujours courtois et amical.

Bonnes découvertes !

Mon cahier d'activités

Pictogrammes à décoder

Tu passeras peut-être beaucoup de temps en voiture à sillonner les routes du Québec. Regarder les beaux paysages, c'est bien, mais quand il pleut ou que ça fait plusieurs heures que tu te promènes, ça peut devenir ennuyeux… Pourtant, il y a toujours plein de choses à regarder sur la route ! Par exemple, nous te proposons de t'amuser à décoder les panneaux routiers. Tu verras, il y en a beaucoup ; apprends à les reconnaître !

Les panneaux bleus

Ils sont utilisés pour indiquer les circuits touristiques et les services d'essence et de restauration.

itinéraires touristiques

kiosque d'information touristique

Les panneaux verts

Ils indiquent des destinations et donnent des repères géographiques.

traversier

numéro de route

138

Les panneaux bruns

Ils sont réservés aux installations touristiques (comme les réserves fauniques et les sites historiques).

parc national

Rivière YAMASKA

cours d'eau

halte routière

Les panneaux jaunes

Ils indiquent un danger. C'est dans cette catégorie que l'on retrouve des illustrations d'animaux comme le chevreuil et l'orignal. Le conducteur doit être très vigilant lorsqu'il aperçoit un panneau jaune.

limitation de vitesse

45 km/h

passage de motoneiges

présence d'animaux sauvages

Jeu

Amuse-toi à trouver 3 panneaux bleus, 2 panneaux bruns, 4 jaunes et 2 verts. Fais ce jeu avec un autre passager : le premier qui a le compte dicte les règles pour la prochaine fois (par exemple, maintenant le premier qui compile 2 bruns, 3 jaunes, 1 vert et 2 bleus, etc.).

Ricochets

C'est très amusant de faire ricocher des cailloux sur l'eau d'une rivière ou d'un lac! Actuellement le record mondial de ricochets est de 51 bonds.

J'ai besoin...

- de cailloux plats et légers, de préférence ronds et lisses. Les galets que l'on trouve sur la plage sont parfaits!
- d'adresse... ou de patience!

Marche à suivre

a. Trouve un caillou plat et léger, rond de préférence.

b. Tiens-le entre ton pouce et ton index par sa partie la plus fine.

c. Étends ton bras sur le côté. Ramène-le vers l'intérieur de ton corps en lançant le caillou **(1)**. Ton bras doit suivre obligatoirement une trajectoire horizontale (parallèle à la surface de l'eau). Pour réussir des ricochets, tu dois faire tourner ton caillou sur lui-même en le lançant **(2)**. Entraîne-toi, ce n'est pas si difficile!

d. Plus tu lances fort et fais tourner ton caillou vite, plus tu réussiras de ricochets.

Un joueur moyen fait ricocher son caillou trois ou quatre fois. Certains ne réussissent qu'à produire un gros plouf en le faisant couler à pic...

Ma collection de souvenirs

Parmi les découvertes que tu as faites, peut-être y en a-t-il que tu aimerais conserver ? Pour transporter tes trésors, tu peux utiliser une pochette plastifiée ou un petit sac de plastique à glissière.

Veille à respecter les interdictions de cueillettes, s'il y a lieu, à chacun des endroits que tu visites, et essaie de varier les objets amassés.

Voici quelques suggestions de souvenirs à collectionner :

coquillages   cailloux   plumes d'oiseaux   tickets de caisse

crayons souvenirs

napperons de restaurant   cartes de visite

petits savons d'hôtel

emballages d'aliments   papiers de bonbons

pièces de monnaie

pétales de fleurs   billets d'autobus ou de métro

billets d'entrée de musée

etc.

Oiseaux du Québec

Il y a toutes sortes d'espèces d'oiseaux au Québec : les oiseaux des champs, des cours d'eau, des forêts, des falaises, etc. Il y a aussi plein d'endroits pour les observer, comme dans les parcs-nature de Montréal, sur l'île Bonaventure ou au lac Saint-Pierre, qui a été déclaré Réserve mondiale de la biosphère par l'UNESCO en l'an 2000.

Associe chaque oiseau au texte qui le décrit pour t'aider à reconnaître la particularité de quelques espèces (voir réponse p. 108) :

1. Je suis un chasseur redoutable. Je capture mes proies en plein vol et je suis capable de plonger en piqué à 200 kilomètres à l'heure.

2. Quand j'allonge le cou, je mesure plus d'un mètre de hauteur. J'ai de longues pattes et je me promène dès le début du printemps dans les eaux marécageuses du lac Saint-Pierre.

3. Je suis le plus grand oiseau nichant dans l'est du Québec et j'occupe presque toute une île. L'envergure de mes ailes est de 2 mètres, et j'ai un long bec pointu.

4. J'ai une houppette rouge sur la tête, et on m'entend frapper le tronc des arbres... parfois même les murs des maisons de bois rond !

5. Du lever au coucher du soleil, je passe ma journée en quête de nourriture. Je suis l'un des plus importants exterminateurs d'insectes nuisibles. On dirait que j'ai un capuchon sur la tête.

6. Je suis l'emblème du Québec.

7. Mon bec ressemble à une aiguille. Mes ailes bougent rapidement (20 à 80 battements d'ailes par seconde). Je suis un oiseau miniature.

8. Je suis une grande voyageuse. Au printemps et en automne, je parcours des milliers de kilomètres. Quand je vole avec ma famille, nous formons un grand V dans le ciel.

Harfang des neiges

Pic-bois

Bernache du Canada

Faucon pèlerin

Grand héron

Mésange à tête noire

Colibri à gorge rubis

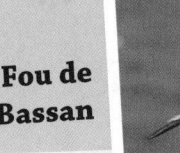
Fou de Bassan

Observation des étoiles

Si tu te trouves dans un lieu assez éloigné de la ville et de ses lumières, tu auras le loisir d'observer les étoiles dans le ciel nocturne. Voici trois constellations et une étoile faciles à repérer.

La Grande Ourse

C'est la première constellation à repérer... et la plus facile! Cherche vers le nord quatre étoiles très brillantes, au-dessus de l'horizon, qui forment presque un rectangle avec, partant d'un des angles, un trio d'étoiles qui forment un manche recourbé. Cette partie de la constellation de la Grande Ourse, qui ressemble beaucoup à une casserole, correspond au derrière et à la queue de l'ourse! Ça y est, tu l'as trouvée?

L'été, par temps clair, tu pourras observer facilement, et à l'œil nu, des étoiles filantes. Il en passe assez souvent, surtout en août!

L'étoile Polaire et la Petite Ourse

Pour repérer l'étoile Polaire et la Petite Ourse, imagine une ligne reliant les deux étoiles du côté droit de la casserole de la Grande Ourse (de bas en haut, voir carte à droite). Prolonge cette ligne imaginaire tout droit dans l'espace jusqu'à ce que tu voies une étoile plus brillante que ses voisines… Il s'agit de l'étoile Polaire ! Cette étoile représente l'extrémité du manche de la casserole de la Petite Ourse. Peux-tu observer la casserole au complet maintenant ?

l'étoile Polaire

Attention ! Bien qu'elle soit un repère essentiel dans le ciel, l'étoile Polaire n'est pas très lumineuse. Il te faudra peut-être un peu de temps pour la trouver. Cherche-la bien !

Cassiopée

Cette constellation forme un grand W dans le ciel. Pour la trouver, prolonge la ligne imaginaire entre la Grande Ourse et la Petite Ourse, toujours plus haut. Tu aperçois les cinq étoiles brillantes qui forment un W inversé ? Voici Cassiopée !

L'étoile Polaire indique le nord. Quand tu auras appris à la trouver, tu pourras bien t'orienter… mais la nuit, bien sûr !

Repérage facile

Cassiopée

l'étoile Polaire (elle indique le nord géographique)

La Petite Ourse

4

3

2

1

Compte environ 4 fois la distance entre les deux étoiles du côté de la casserole, pour trouver l'étoile Polaire.

La Grande Ourse

Bric-à-brac de bricolages

Le flocon masqué

Pour débuter, tu trouves une feuille de papier ou de carton mince. Elle doit être assez grande pour couvrir ton visage. Tu la plies en deux, et une fois de plus en deux. Pour les yeux du masque, découpe un triangle de la taille d'une pièce de 25 cents dans le haut de la feuille pliée (**A**). Les contours du visage se font en découpant le coin inférieur gauche (**B**).

Ton flocon est créé. Pour l'embellir, multiplie les coups de ciseaux et découpe de petites formes autour de la feuille pliée (**C**). On voit le résultat en dépliant la feuille (**D**).

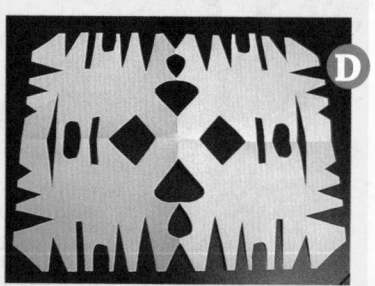

Pour en faire un vrai masque, mets la feuille dépliée sur ton visage et fais correspondre les trous pour les yeux. Si tu ne vois pas bien, replie la feuille et découpe plus grand le triangle de l'étape A.

La décoration se fait au crayon sur la feuille de papier ou à la gouache sur le carton mince. Pour un bel effet, dessine des motifs symétriques de chaque côté du masque. On peut facilement fixer le masque à sa tête avec de la ficelle, mais c'est fragile !

Collage marin

Peins une feuille ou un carton en bleu. Une fois la peinture séchée, applique de la colle sur la partie du bas. Saupoudre du sable sur la colle... et voilà qu'apparaît ton fond marin ! Tu pourras ensuite dessiner, colorier et découper des formes de poissons, d'algues et tout ce que tu voudras ajouter à ton paysage marin.

Peinture nature

Trouve des cailloux lisses et ronds et des bouts de bois mort écorcés. Peins-les en reproduisant des insectes! Coccinelles ou scarabées... Fais-toi une colonie colorée!

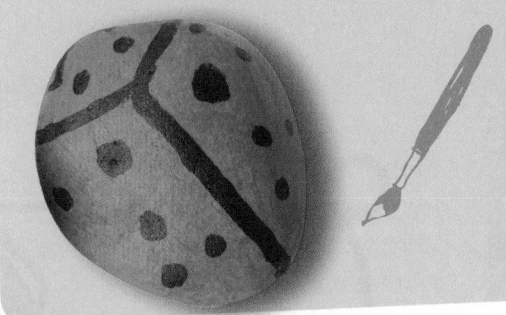

Carte du Québec en 3D

Voici un bon moyen de partager avec tes camarades ton voyage au Québec et de leur expliquer les belles choses que tu as vues, en leur montrant une carte décorée à ton goût!

Matériel

- Carte routière du Québec
- Grand carton (du carton-mousse est idéal)
- Crayons de couleur, feutres et marqueurs
- Cure-dents ou épingles à tête de couleur
- Colle forte et ruban adhésif

Fabrication

a. Ouvre grand la carte et colle-la sur un carton-mousse.

b. Trace l'itinéraire de ton voyage à l'aide de crayons de couleur, ou entoure les endroits que tu as visités.

c. Plante des cure-dents ou des épingles aux endroits visités qui t'ont beaucoup plu. Attaches-y un petit papier avec du ruban adhésif pour faire un drapeau sur lequel tu inscriras une note ou une anecdote.

d. Colle des cailloux, des petits bouts de bois ou des coquillages en repérant les endroits où tu les as trouvés.

e. Tu peux aussi coller des photos découpées dans des journaux, ou des fleurs et feuilles séchées (va voir à la page 36 pour savoir comment faire).

Leçon de gastronomie à la sauce québécoise !

... le tout arrosé de sirop d'érable !

Bien que délicieux, certains mets québécois portent un nom plutôt bizarre !
Trouve l'image correspondant aux spécialités culinaires suivantes (voir réponse p. 108) :

1. **Grands-pères dans le sirop**
2. **Poutine**
3. **Oreilles de crisse**
4. **Guédille**
5. **Pets-de-sœur**
6. **Pâté chinois**
7. **Bûche de Noël**
8. **Queue de castor**

Le QUÉBEC-QUIZ

Voici le moment de tester tes connaissances sur le Québec !

À ton crayon, prêt, vas-y !

(Si tu ne trouves pas, les réponses sont à la page 108)

1. **Laquelle de ces inventions n'est pas amérindienne ?**

a) Le canot

b) La gomme à mâcher

c) La motoneige

d) Le sirop d'érable

e) Les raquettes à neige

2. **Lequel de ces personnages ne fait pas partie des légendes québécoises ?**

a) Jos Montferrand

b) Le père Fouettard

c) Maurice Richard - *The Rocket*

d) Louis Cyr

e) Alexis le Trotteur

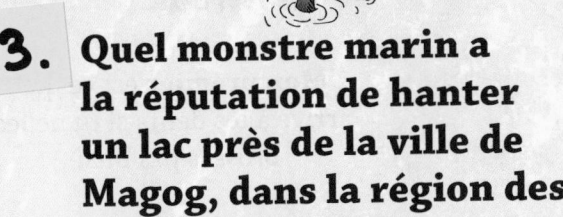

3. Quel monstre marin a la réputation de hanter un lac près de la ville de Magog, dans la région des Cantons-de-l'Est ?

a) Champ

b) Ponik

c) Ogopogo

d) Memphré

e) Nessie

4. Que signifie le mot amérindien *kebec* ?

a) Là où le froid est mordant

b) Chutes fracassantes

c) Vent du nord

d) Canot d'écorce

e) Là où le fleuve devient étroit

5. Trouve l'intrus parmi ces festivals québécois :

a) Festival de la traîne sauvage

b) Festival de la gibelotte

c) Festival du cochon

d) Festival de la galette de sarrasin

e) Fête du bois flotté

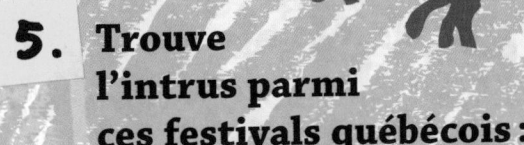

Jeux en vrac !

Trouve le mot

Remets les lettres dans le bon ordre pour former un mot.

NAIBELE : _____

TOCAN : _____

PANGACEM : _____

VIRHE : _____

FROTE : _____

PROIS : _____

Charades

Mon premier est ce qui arrive à tes dents si tu ne les brosses pas bien.

Mon deuxième est le mot que tu cries pour surprendre quelqu'un.

Mon tout est le nom que l'on donne aux rennes au Québec.

Mon premier est une céréale que l'on mange avec des baguettes.

Mon deuxième est la durée qui s'écoule entre la naissance et la mort.

Mon troisième est une période ou une division de l'histoire.

Mon tout est un cours d'eau, comme il y en a 4 500 au Québec !

Sudoku

Dans chaque case vide, tu dois écrire un chiffre de 1 à 9. Mais attention, on ne doit jamais le répéter, ni sur la même ligne, ni dans la même colonne, ni dans le même carré de neuf cases délimité par les traits en gras.

	2	8				1	6	7
	7		8	5	4	2		
5		3	2			8	1	4
	5			8	3		6	9
3		9	5		6	1		2
6	4		7	2				
9		5			8	7	2	6
		4	6	7		9		
8		7	3			5	4	

Décode le message secret d'Edgar

Transcris les lettres dans les bonnes cases (vides) vis-à-vis des mêmes colonnes pour découvrir le message d'Edgar. Les cases noires sont les espaces entre les mots.

A	U	S	C	H	E	U	E	T	T	C	S	E
S	T		Q	V	O	B	E	N	C	E		E
L	E			U	A	C	A	C		E		

Les solutions des jeux se trouvent aux pages 108 et 109.

Cherche et trouve...

Une soucoupe volante, un fromage, un inukshuk, une bouteille, un lutin, une ampoule électrique, la lettre Q, une étoile, 3 papillons, un iris versicolore, un visage de clown, une fourchette, la lettre M, une paire de ciseaux, un mouton.

(Réponses à la page 109)

à colorier!

Mon journal de voyage

Itinéraire de vacances

Je pars le _____
                jour

de _____ à _____
   ville   *heure*

J'arrive le _____
                jour

à _____ à _____
  ville   *heure*

Je voyage en
(encercle)

Pendant _____ heures.

Durée de l'étape : _____ jours.

Je pars le _____
                jour

de _____ à _____
   ville   *heure*

J'arrive le _____
                jour

à _____ à _____
  ville   *heure*

Je voyage en
(encercle)

Pendant _____ heures.

Durée de l'étape : _____ jours.

Je pars le _____
                jour

de _____ à _____
   ville   *heure*

J'arrive le _____
                jour

à _____ à _____
  ville   *heure*

Je voyage en
(encercle)

Pendant _____ heures.

Durée de l'étape : _____ jours.

Je voyage avec...

_____

_____

_____

_____

_____

_____

_____

Musées et monuments

Voici les musées et les monuments (châteaux, gratte-ciel, édifices religieux, statues...) que j'ai vus pendant mes vacances:

Nom: _____

Description: _____
_____
_____

Où cela se trouve-t-il? _____

Est-ce que j'ai aimé?   OUI ☐   NON ☐

Pourquoi? _____
_____

Nom: _____

Description: _____
_____

Où cela se trouve-t-il? _____
_____

Est-ce que j'ai aimé?   OUI ☐   NON ☐

Pourquoi? _____

Sports et activités

Nom du sport: _____
_____

Équipement: _____
_____

Est-ce que j'ai aimé?   OUI ☐   NON ☐

Pourquoi? _____
_____

Nom de l'activité: _____
_____

Description: _____
_____

Est-ce que j'ai aimé?   OUI ☐   NON ☐

Pourquoi? _____
_____

Mots et expressions

En visitant le Québec, j'ai appris de nouveaux mots et j'ai entendu des expressions très rigolotes comme :

J'ai entendu :

Ça veut dire :

_____

_____

_____

_____

_____

_____

Musique et chansons

J'ai entendu de la musique ou des chansons que j'ai aimées :

Titre : _____

Chanteur / Chanteuse / Groupe : _____

J'aime :   un peu ☐   beaucoup ☐   énormément ! ☐

Titre : _____

Chanteur / Chanteuse / Groupe : _____

J'aime :   un peu ☐   beaucoup ☐   énormément ! ☐

Jeux de vacances

Voici mes jeux préférés et comment ils se jouent:

Nom du jeu: _____

_____

Règles et but du jeu: _____

_____

_____

_____

_____

_____

Nombre
de joueurs: ☐

Nom du jeu: _____

Règles et but du jeu: _____

_____

_____

_____

_____

_____

Nombre
de joueurs: ☐

Fête ou événement

Voici les détails d'un événement
auquel j'ai assisté ou participé:

Titre du spectacle: _____

_____

Description: _____

_____

Est-ce que j'ai aimé? OUI ☐ NON ☐

Pourquoi? _____

_____

Livre, BD ou magazine

Cette année, en vacances, j'ai lu:

Titre: _____

Auteur: _____

Sujet: _____

J'ai aimé:

un peu ☐ beaucoup ☐ énormément! ☐

Faune, flore et bestioles

Voici les animaux, plantes, fleurs, arbres et insectes que j'ai découverts :

Un animal

Nom : _____

Description : _____

_____

Où vit-il ? _____

Que mange-t-il ? _____

Une « bibitte »

Nom : _____

_____

Description (forme, couleurs, taille) :

_____

_____

_____

Est-ce que ça fait peur ?   OUI ☐   NON ☐

Est-ce que c'est gentil ?   OUI ☐   NON ☐

Est-ce que je l'aime bien ?   OUI ☐   NON ☐

Une plante, une fleur ou un arbre

Dessine un animal imaginaire complètement bizarre… et donne-lui un nom!

Plante séchée, dessin ou photo

Nom: _____

_____

Couleurs: _____

Caractéristiques: _____

_____

Taille: _____

Est-ce que ça sent bon?   OUI ☐ NON ☐

Sers-toi de cette règle pour mesurer tes découvertes.

0 1 2 3 4 5 6 7 8 9 10 11 12 13 14 15 cm

Aliments

Voici deux nouvelles choses que j'ai goûtées au Québec et ma note d'appréciation de 0 à 4 :

0 : Beurk! Pas mangeable!
1 : Moyen
2 : Bon
3 : Très bon
4 : Mmmm! J'adore!

Nom du plat ou de l'aliment : _____

_____

Ingrédients ou description : _____

_____

_____

Ça a le goût de : _____

_____ Ma note : ☐

Est-ce que j'aimerais en manger de nouveau? OUI ☐ NON ☐

Nom du plat ou de l'aliment : _____

_____

Ingrédients ou description : _____

_____

_____

Ça a le goût de : _____

_____ Ma note : ☐

Est-ce que j'aimerais en manger de nouveau? OUI ☐ NON ☐

Les meilleurs moments

1

2

3

4

Les pires moments

1

2

3

4

Mes plus grosses bêtises

Si, si! Tu en as fait, c'est sûr! Note-les (ou dessine-les) ci-dessous.

Mes nouveaux amis

Nom : _____

Adresse : _____

_____

_____

Téléphone : _____

Courriel : _____

Nom : _____

Adresse : _____

_____

_____

Téléphone : _____

Courriel : _____

Nom : _____

Adresse : _____

_____

_____

Téléphone : _____

Courriel : _____

Les réponses !

Voici les réponses aux questions posées çà et là dans le livre, ainsi que les solutions des jeux :

p. 16 :

Réponse : Ours polaire

Même si on en retrouve dans le nord du Québec, l'ours polaire n'est pas un emblème de la province. Le bouleau jaune, le harfang des neiges et l'iris versicolore sont tous trois les emblèmes officiels du Québec.

p. 40

Réponse : b (monstre-pieuvre)

Le béluga (a), le marsouin commun (c) et le cachalot macrocéphale (d) sont tous présents dans les eaux du fleuve Saint-Laurent. De ces mammifères marins, seul le béluga est considéré comme une espèce menacée d'extinction.

p. 86-87

1. d
2. e
3. h
4. b
5. f
6. a
7. g
8. c

p. 92-93

1. d
2. f
3. g
4. a
5. b
6. e
7. h
8. c

p. 94-95

1) Réponse : c

La motoneige a été inventée par le Québécois Joseph-Armand Bombardier en 1937.

2) Réponse : b

Les enfants québécois ne connaissent pas le père Fouettard. Le père Noël (saint Nicolas) est plutôt accompagné de gentils lutins ou de la fée des étoiles pendant ses tournées ! Tous les autres personnages sont devenus légendaires par leurs exploits physiques. Ce sont des hommes plus grands que nature !

3) Réponse : d

Comme de nombreux endroits dans le monde, le Québec possède ses monstres légendaires ! Memphré est le monstre marin attitré du lac Memphrémagog, qui s'étend entre la ville de Magog et Newport, dans l'État du Vermont aux États-Unis. Champ habiterait le lac Champlain (Cantons-de-l'Est). Ponik sillonne peut-être les eaux du lac Pohénégamook (Bas-Saint-Laurent). Ogopogo batifole sans doute dans le lac Okanagan (dans la province canadienne de Colombie-Britannique). Enfin, Nessie, le plus populaire de tous, attire les touristes au Loch Ness en Écosse !

4) Réponse : e

Le mot d'origine amérindienne *Kebec* désigne le resserrement du fleuve Saint-Laurent devant la ville de Québec. Et sais-tu ce que signifie le mot algonquin *papoose* ? Jeune enfant !

5) Réponse : a

Même s'il n'y a pas encore de festival de la traîne sauvage (toboggan) au Québec, on célèbre les chiens de traîneaux et leurs *mushers* lors de L'Internationale de chiens de traîneaux de Lanaudière, une course impressionnante à laquelle participe une centaine d'attelages. Et la gibelotte ? Il s'agit d'une soupe de légumes et de poisson. Une spécialité culinaire de la région de Sorel-Tracy, en Montérégie !

p. 96

Trouve le mot

enaibele	**baleine**
tocan	**canot**
pangacem	**campagne**
virhe	**hiver**
frote	**forêt**
prois	**sirop**

Charades

Réponse : carie et bouh = **Caribou**
Réponse : riz, vie, ère = **Rivière**

Décode le message secret d'Edgar

L	E	S		V	A	C	A	N	C	E	S	
A	U		Q	U	E	B	E	C		C		E
S	T		C	H	O	U	E	T	T	E		

Sudoku

4	2	8	9	3	1	6	5	7
1	7	6	8	5	4	2	9	3
5	9	3	2	6	7	8	1	4
7	5	2	1	8	3	4	6	9
3	8	9	5	4	6	1	7	2
6	4	1	7	2	9	3	8	5
9	3	5	4	1	8	7	2	6
2	1	4	6	7	5	9	3	8
8	6	7	3	9	2	5	4	1

p.98

Cherche et trouve

Les bonnes adresses
d'Edgar et Julie

À la campagne

Aquarium du Québec
1675 av. des Hôtels, Sainte-Foy
418-659-5264 ou 866-659-5264
www.sepaq.com/ct/paq

Cantine Pitch
1710 rue Principale, Pohénégamook
418-859-2732

Chez Annie
27 boul. Arthabaska E., Victoriaville
819-751-2756

Chez Ben
599 rue Principale, Granby
450-378-2921

Délices d'Antan
446 ch. Bayonne S., Berthierville
450-836-0540, www.delicesdantan.ca

Domaine de la Forêt Perdue
1180 rang Saint-Félix, Notre-Dame-
du-Mont-Carmel
819-378-5946 ou 800-603-6738
www.domainedelaforetperdue.com

Intermiel
10291 rang de La Fresnière, Mirabel
450-258-2713 ou 800-265-6435
www.intermiel.com

**International de montgolfières
de Saint-Jean-sur-Richelieu**
5 ch. de l'Aéroport, Saint-Jean-
sur-Richelieu
450-346-6000, www.montgolfieres.com

La Bisonnière
490 rang Sainte-Élisabeth N.,
Saint-Prosper-de-Champlain
418-328-3669, www.bisonniere.com

La Courgerie
2322 Grand rang Saint-Pierre,
Sainte-Élisabeth
450-752-2950 ou 800-711-2021
www.lacourgerie.com

La Guilde du Pain d'Épices
2181 route Louis-Cyr, Saint-Jean-
de-Matha
800-617-7791, www.paindepice.org

La Magie du Sous-Bois
801 23e Avenue, Dolbeau-Mistassini
418-276-8926
www.magiedusousbois.com

La Sucrerie de la Montagne
300 ch. Saint-Georges, Rigaud
450-451-0831
www.sucreriedelamontagne.com

La Vallée Secrète
1010 ch. de la Traverse, Saint-Raymond,
418-875-4408
www.valleesecrete.com

Les Fraises Louis Hébert
978 ch. de la 4e-Ligne, Saint-Valentin
450-291-3004
www.lesfraiseslouishebert.com

Les Piles Village Forestier
780 route 155 (5e Avenue), Grandes-Piles
819-538-7895 ou 877-338-7895
www.lespiles.ca

Les Vergers Lafrance
1473 ch. Principal, Saint-Joseph-du-Lac
450-491-7859
www.lesvergerslafrance.com

Magasin général Le Brun
192 route du Pied-de-la-Côte,
Maskinongé
819-227-2650
www.magasingenerallebrun.com

Maison Drouin
4700 ch. Royal, Sainte-Famille,
île d'Orléans, 418-829-0330

Miels d'Anicet
111 2e rang de Gravel, Ferme-Neuve
819-587-4825, http://mielsdanicet.com

Parc Oméga
399 route 323, Montebello
819-423-5487, www.parc-omega.com

Parc national du Mont-Orford
200 ch. du Camping, Orford
819-843-9855, www.sepaq.com/pq/mor

**Parc national
du Mont-Saint-Bruno**
330 rang des 25 E., Saint-Bruno
450-653-7544, www.sepaq.com/pq/msb

Parc Safari
850 route 202, Hemmingford
450-247-2727, www.parcsafari.com

Perroquets en folie
1430 route 344, Saint-Placide
450-258-4713
www.perroquetsenfolie.com

Refuge Pageau
4241 ch. Croteau, Amos
819-732-8999, www.refugepageau.ca

Village historique de Val-Jalbert
95 rue Saint-Georges, Chambord
418-275-3132 ou 888-675-3132
www.valjalbert.com

Village minier de Bourlamaque
90 av. Perreault, Val-d'Or
819-825-1274, www.citedelor.com

Village Québécois d'Antan
1425 rue Montplaisir, Drummondville
819-478-1441
www.villagequebecois.com

Zoo de Granby
1050 boul. David-Bouchard, Granby
450-372-9113 ou 877-472-6299
www.zoodegranby.com

Zoo sauvage de Saint-Félicien
2230 boul. du Jardin, Saint-Félicien
418-679-0543 ou 800-667-5687
www.zoosauvage.org

À la montagne

Acro-Nature Morin Heights
231 rue Benett, Morin-Heights
450-227-2020, www.acronature.com

Alaskan du Nord
740 route 155 N., La Bostonnais
819-676-3069, www.alaskandunord.com

Arbraska Rawdon
4131 rue Forest Hill, Rawdon
450-834-5500, http://arbraska.com

**ASTROLab du parc national
du Mont-Mégantic**
189 route du Parc, Notre-Dame-des-Bois
819-888-2941 ou 800-665-6527
http://astrolab-parc-national-mont-
megantic.org

Domaine Le Bostonnais
2000 route 155 N. (Km 137,5), La Tuque
819-523-5127

Glissades des Pays d'en Haut
440 ch. Avila, Piedmont
450-224-4014, www.glissades.ca

Massif de Charlevoix
1350 rue Principale, Petite-Rivière-
Saint-François
418-632-5876, www.lemassif.com

Parc aquatique Mont Saint-Sauveur
350 av. Saint-Denis, Saint-Sauveur
450-227-4671, http://parcaquatique.com

Parc aquatique Ski Bromont
150 rue Champlain, Bromont
450-534-2200 ou 866-276-6668
www.skibromont.com

Parc national des Monts-Valin
360 rang Saint-Louis, Saint-Fulgence
418-674-1200, www.sepaq.com/pq/mva

Parc national du Mont-Tremblant
Accueil de la Diable
3824 ch. du Lac-Supérieur,
Lac Supérieur
819-688-2281 ou 800-665-6527
www.sepaq.com/pq/mot

Station touristique Mont Tremblant
1000 ch. des Voyageurs,
Mont-Tremblant
866-356-2233, www.tremblant.ca

Station touristique du Mont-Sainte-Anne
2000 boul. du Beau-Pré, Beaupré
888-827-4579
www.mont-sainte-anne.com

Super Aqua Club
322 montée de la Baie, Pointe-Calumet
450-473-1013, www.superaquaclub.com

Super Glissades de Saint-Jean-de-Matha
2650 route Louis-Cyr, Saint-Jean-de-Matha
450-886-9321, www.glissadesurtube.com

Via Batiscan
Parc de la rivière Batiscan
200 ch. du Barrage, Saint-Narcisse
418-328-3599, www.parcbatiscan.com

Village Vacances Valcartier
1860 boul. Valcartier, Valcartier
418-844-2200 ou 888-384-5524
www.valcartier.com

Le long du Fleuve et du Fjord

Croisières AML
177 rue des Pionniers, Tadoussac
418-235-4642 ou 800-563-4643
www.croisieresaml.com

Croisières Baie de Gaspé
Parc national Forillon (quai de Grande-Grave)
122 boul. de Gaspé, Gaspé
418-892-5500 ou 866-617-5500
www.baleines-forillon.com

Croisières Essipit
46 rue de la Réserve, Les Escoumins
418-233-2266 ou 888-868-6666
www.essipit.com

Magasin Général Historique Authentique 1928
32 rue Bonfils, L'Anse-à-Beaufils, Percé
418-782-5286
www.magasinhistorique.com

Musée Louis-Hémon
700 route Maria-Chapdelaine, Péribonka
418-374-2177
http://museelh.destination.ca

Onondaga
Site historique maritime
de la Pointe-au-Père
1000 rue du Phare, Rimouski
418-724-6214, www.shmp.qc.ca

Palissades de Charlevoix
1000 route 170, Saint-Siméon
418-647-4422, www.rocgyms.com

Parc Aventures Cap Jaseux
ch. de la Pointe-aux-Pins,
Saint-Fulgence
418-674-9114 ou 888-674-9114
www.capjaseux.com

Parc de la Chute-Montmorency
2490 av. Royale, Québec
418-663-3330, www.sepaq.com/ct/pcm

Parc national de la Pointe-Taillon
835 rang 3 O., Saint-Henri-de-Taillon
418-347-5371, www.sepaq.com/pq/pta

Parc national du Bic
3382 route 132 O., Le Bic
418-736-5035, www.sepaq.com/pq/bic

Au bord de la mer

Aquarium des Îles
982 route 199, La Grave, Havre-Aubert
418-937-2277
www.tourismeilesdelamadeleine.com

Grotte de Saint-Elzéar
136 ch. Principal, Saint-Elzéar
418-534-3905, http://lagrotte.ca

Parc national de Miguasha
231 route de Miguasha O., Nouvelle
418-794-2475 ou 800-665-6527
www.sepaq.com/pq/mig

Parc national Forillon
122 boul. de Gaspé, Gaspé
418-368-5505 ou 888-773-8888
www.pc.gc.ca/fra/pn-np/qc/forillon

En ville

Amphi-Bus
2 rue de la Commune E., Montréal
514-849-5181
www.montreal-amphibus-tour.com

Benjo
550 boul. Charest E., Québec
418-640-0001, www.benjo.ca

Biodôme de Montréal
4777 av. Pierre-De Coubertin, Montréal
http://espacepourlavie.ca

Centre des sciences de Montréal
Vieux-Port de Montréal
(quai King-Edward)
514-496-4724 ou 877-496-4724
www.centredessciencesdemontreal.com

La Citadelle
1 côte de la Citadelle, Québec
418-694-2815, www.lacitadelle.qc.ca

La place Royale
angle rue Notre-Dame et rue de la
Place, Québec

La Ronde
22 ch. Macdonald, île Sainte-Hélène,
Montréal
514-397-2000, www.laronde.com

Lieu historique national des Fortifications-de-Québec
2 rue D'Auteuil, Québec
418-648-7016 ou 888-773-8888
www.pc.gc.ca/fra/lhn-nhs/qc/
fortifications

Musée canadien des civilisations / Musée canadien d'histoire
100 rue Laurier, Gatineau
819-776-7000, www.civilisations.ca

Musée de la civilisation
85 rue Dalhousie, Québec
418-643-2158
www.mcq.org

Musée des beaux-arts de Montréal
1380 rue Sherbrooke O., Montréal
514-285-2000
www.mbam.qc.ca

Parc du Mont-Royal
accueil au pavillon du Lac-aux-Castors
2000 ch. Remembrance, Montréal
514-843-8240

Parc La Fontaine
angle rue Rachel et av. du
Parc-La Fontaine, Montréal

Parc Laurier
angle rue Laurier et rue Mentana,
Montréal

Plaines d'Abraham
accueil au 835 av. Wilfrid-Laurier,
Québec
418-649-6157, www.ccbn-nbc.gc.ca

Planétarium Rio Tinto Alcan
près du Biodôme, 4777 av. Pierre-De
Coubertin, Montréal
http://espacepourlavie.ca

**Pointe-à-Callière,
musée d'archéologie et d'histoire
de Montréal**
350 place Royale, Montéal
514-872-9150, http://pacmusee.qc.ca

Tour de Montréal
4141 av. Pierre-De Coubertin, Montréal
514-252-4141, www.parcolympique.qc.ca

Saute-Moutons
47 rue de la Commune O., Montréal
514-284-9607
www.jetboatingmontreal.com

Village des neiges
130 ch. du Tour-de-l'Île,
parc Jean-Drapeau, Montréal
514-788-2181 ou 855-788-2181
www.villagedesneiges.com

Chez les Amérindiens

Abitibi8inni Aventure et culture
10 rue Tom Rankin, Pikogan
819-732-3350, www.abitibiwinni.com

Aventure Plume Blanche
607 rang 2 S., Roberval
418-275-6857 ou 418-637-0926
www.aventureplumeblanche.com

Chute Kabir Kouba
Centre d'interprétation
14 rue Saint-Amand, Québec
accès à la chute : à l'est du pont,
boul. Bastien, Wendake
www.chutekabirkouba.com

Musée des Abénakis
108 rue Waban-Aki, Odanak
450-568-2600, www.museedesabenakis.ca

Site traditionnel de Matakan
Manawan
819-971-1190 ou 877-971-1197
www.voyageamerindiens.com

**Site traditionnel huron
Onhoüia Chetek8e**
575 rue Stanislas-Koska, Wendake
418-842-4308, www.huron-wendat.qc.ca

Crédits photographiques (page par page, de gauche à droite et de haut en bas)

Page couverture : Excursion au rocher Percé © iStockphoto.com/Chic Type, Ski dans les Laurentides © iStockphoto.com/Zoran Ivanovic, Le Château Frontenac, à Québec © iStockphoto.com/André Nantel ; page 14 © Pascal Biet, © Dreamstime.com/Slavkoslavnyi ; page 16 © Jerry «Woody» Woodhead © Dreamstime.com/Mary Lane, © Shutterstock/Jennifer Cruz, © Dreamstime.com/Andrzej Fryda, © Sang Hyun (Kevin) Kim, © Dreamstime.com/Outdoorsman ; page 18 © Stéphanie Lachance ; page 19 © Dreamstime.com/Daniel Wiedemann, © Tourisme Lanaudière, Marc-Olivier Guilbault ; page 20 © Thierry Ducharme, © Zoo sauvage de Saint-Félicien, © Zoo sauvage de Saint-Félicien, © Thierry Ducharme ; page 22 © iStockphoto.com/Aguru, © Thierry Ducharme, © Dreamstime.com/Andromantic ; page 23 © Thierry Ducharme ; page 25 © Pascal Biet ; page 26 © Michel Julien ; page 27 © Dreamstime.com/Verena Matthew, © Pascal Biet ; page 28 © iStockphoto.com/Sebastien Cote ; page 29 © iStockphoto.com/Bruce MacQueen ; page 30 © iStockPhoto.com/Sebatian Santa, © Tourisme Laurentides ; page 31 © Dreamstime.com/Mike Rogal, © iStockphoto.com/Dan Brandenburg ; page 33 © Dreamstime.com/Denis Pepin ; page 34 © Mathieu Dupuis, parc national de la Gaspésie, Sépaq, © Dreamstime.com/Lauren Jones ; page 35 © iStockphoto.com/Mike Bentley, Olivier Blondeau ; page 37 © istockphoto.com/David Hardman ; page 38 © iStockphoto.com/Zoran Ivanovic ; page 39 © Dreamstime.com/Sascha Burkard ; page 40 © Tourisme Charlevoix ; page 41 © iStockphoto.com/AnikaSalsera, © Plaisirs Gourmets, Roch Théroux ; page 42 © Pascal Biet ; page 43 © Tourisme Charlevoix ; page 44 © Pierre Rambaud, Croisières Essipit, © Øystein Paulsen, MAR-ECO ; page 45 © Luc Rousseau, parc national du Fjord-du-Saguenay, Sépaq ; page 46 © iStockphoto.com/Joe Biafore, © iStockphoto.com/AnikaSalsera ; page 47 © iStockphoto.com/adlife marketing/Joel Albrizio, © Michel Julien ; page 48 © iStockphoto.com/Denis Jr. Tangney ; page 49 © iStockphoto.com/Aurélien Pottier ; page 51 © iStockphoto.com/Angel Herrero de Frutos ; page 52 © Thierry Ducharme ; page 53 © Dreamstime.com/Kristian Sekulic, © iStockphoto.com/Chic Type ; page 54 © Pascal Biet © Pascal Biet © Pascal Biet ; page 55 © Jean-Pierre Huard, parc national de l'Île-Bonaventure-et-du-Rocher-Percé, Sépaq ; page 56 © iStockphoto.com/Denis Jr. Tangney ; page 57 © Dreamstime.com/Abrikoska, © iStockphoto.com/Valérie Loiseleux, © iStockphoto.com/Ian Ilott, © iStockphoto.com/urbancow ; page 58 © iStockphoto.com/Tony Tremblay, © iStockphoto.com/André Nantel ; page 59 © Pascal Biet, © iStockphoto.com/Tony Tremblay ; page 60 © Société de développement du boulevard Saint-Laurent ; page 61 © Philippe Renault, © Philippe Renault, © Pascal Biet, © Dreamstime.com /André Nantel ; page 62 © Stephan Poulin ; page 63 © Kirill Berdnikov, © iStockphoto.com/Miles Higgins ; page 64 © iStockphoto.com/Knogami, © Pascal Biet ; page 65 © Éric Gervais, Saute-Moutons, © iStockphoto.com/Vladone ; page 66 © iStockphoto.com/Mkonrad, © Biodôme de Montréal, Sean O'Neil, © Insectarium de Montréal, André Sarrazin ; page 67 © Carnaval de Québec ; page 68 © Juste pour rire ; page 69 © Mathieu Dupuis, Parc national de la Gaspésie, Sépaq ; page 69 © Michel Julien ; page 71 © Tourisme Lanaudière, Marie-Andrée Alarie ; page 72 © Site traditionnel huron ; page 73 © Jean-Louis Régis ; page 74 © iStockphoto.com/Lee Pettet ; page 76 © iStockphoto.com/Anouk Stricher ; page 77 © Photo Hydro-Québec, © iStockphoto.com/Roman Krochuk ; page 78 © iStockphoto.com/Gabriela Schaufelberger, © Tourisme Baie-James/Mathieu Dupuis ; page 79 © iStockphoto.com/Shaun Lowe ; page 80 © Dreamstime.com/Alexmax, page 84 © istockphoto.com/Amanda Rohde ; page 85 © Shutterstock/Sergios ; page 87 © iStockphoto.com/Eric Gevaert, © iStockphoto.com/Frank Leung, © Dreamstime.com/Ken Hurst, © iStockphoto.com/Maurice van der Velden, © iStockphoto.com/Nicolas McComber, © iStockphoto.com/Don Enright, © istockphoto.com/Pete Muller, © iStockphoto.com/RelaxFoto.de ; page 89 © Dreamstime.com/Igor Sokalski, © Dreamstime.com/Lindabrotkorb ; page 90 © Julie Brodeur ; page 91 © Dreamstime.com/Antonia.